QUE SAI

# L'anxiété et l'angoisse

ANDRÉ LE GALL

*Quatrième édition mise à jour*

*28e mille*

## DU MÊME AUTEUR

*Caractérologie des enfants et des adolescents*, Presses Universitaires de France, 8e éd. refondue (traduit en espagnol, italien, portugais).

*Les insuccès scolaires, diagnostic et redressement*, Presses Universitaires de France, coll. « Que sais-je ? », 7e éd. refondue (traduit en espagnol, italien, grec, portugais, japonais).

*Les malades et les médicaments* (en collab. avec René Brun), Presses Universitaires de France, coll. « Que sais-je ? », 2e éd.

*Le rôle nouveau du père*, Paris, Editions Sociales Françaises, 3e éd. (traduit en allemand).

*Les caractères et la vie des couples*, Presses Universitaires de France, 2e éd. (traduit en espagnol et en portugais).

*La démocratisation des enseignements secondaires et supérieurs*, Paris, Unesco (traduit en anglais).

*L'humeur, ou la manière d'être*, Presses Universitaires de France (en préparation).

*Textes nouveaux pour une philosophie nouvelle*, Bordas.

*Des thèmes aux textes*, Bordas.

ISBN 2 13 044174 2

Dépôt légal — 1re édition : 1976,
4e édition mise à jour : 1992, février


108, boulevard Saint-Germain, 75006 Paris

# PREMIÈRE PARTIE

# *DISTINCTIONS*

## Chapitre Premier

## DISTINGUER LES FAITS SÉPARER LES NOTIONS

On ne saurait retirer dès l'abord à l'angoisse cette « aura » philosophique ou religieuse qui fait sûrement partie ou de son essence ou de son cortège. Il est normal que l'anxiété et l'angoisse, qui ont avec la vie et avec la mort un rapport primordial de signification existentielle, suscitent de semblables recours. Mais il importe d'abord de les restituer à leur nature d'événements physiologiques, psychologiques ou psychiques.

Les états timériques (1) : inquiétude, peur, terreur ou effroi, anxiété, angoisse, sont couramment désignés par des appellations fâcheusement interchangeables. La confusion est presque constante, par exemple, entre l'inquiétude et l'anxiété, et plus encore entre l'anxiété et l'angoisse. Chez Freud l'équivalence sémantique est fréquente : le mot « anxieux » est souvent employé comme l'adjectif correspondant à « angoisse ». Exemple : « Que nous

(1) *Timérique*, du latin *timere*, craindre. Nous proposons ce vocable pour rassembler les cinq états psychologiques que nous rencontrerons.

révèle l'observation de l'état *anxieux* des enfants ? Le petit enfant éprouve tout d'abord de *l'angoisse* en présence de personnes étrangères... » [2, p. 384]. Mais peut-être cette équivalence inexacte est-elle imputable aux traductions. En anglais, *angst* (angoisse) est traduit par *anxiety*, faute sans doute d'un autre vocable.

L'approximation sémantique banale ou savante est regrettable : elle retentit sur la normalité des états timériques : il est normal d'éprouver de l'inquiétude, de la peur, de l'effroi. Mais de l'anxiété ? Mais de l'angoisse ? Et, si c'est normal, quelles sont l'anxiété normale et l'anxiété anormale, l'angoisse normale et l'angoisse anormale ? Souvent on traite de l'angoisse comme si elle était unique et contenait même certaines anxiétés. Quand on aborde l'éventuelle signification philosophique de l'angoisse la confusion est presque à son comble. Elle l'est tout à fait chez nombre d'écrivains qui, par exemple, nomment « angoisse » la crainte d'arriver en retard.

## I. — Les états timériques banaux

Bornons-nous à citer, pour les abandonner aussitôt, les états timériques qui sont d'expérience normale et banale.

*L'inquiétude* et l'anxiété ne se séparent qu'au plan de l'intensité, beaucoup plus forte dans l'anxiété. De même que nous séparerons trois catégories d'anxiété, de même on devrait distinguer deux catégories d'inquiétude : l'une qui sait sa motivation, l'autre qui est l'inquiétude en général, dont les poètes et les philosophes ont fait une vertu ou une inspiration première et qui d'ailleurs puise souvent dans un fond d'anxiété personnelle.

*La peur* est liée à la perception d'un danger pré-

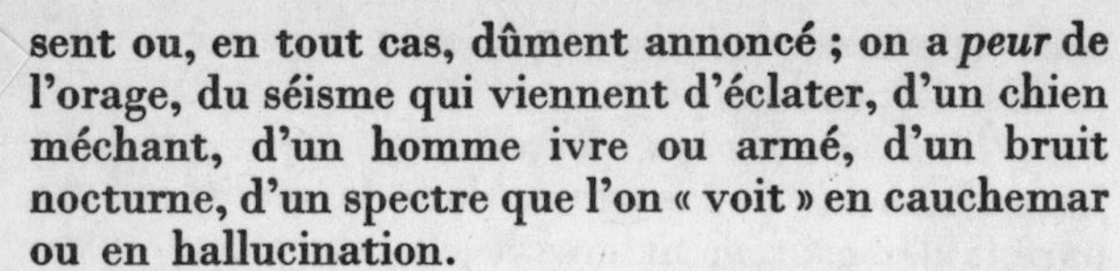

sent ou, en tout cas, dûment annoncé ; on a *peur* de l'orage, du séisme qui viennent d'éclater, d'un chien méchant, d'un homme ivre ou armé, d'un bruit nocturne, d'un spectre que l'on « voit » en cauchemar ou en hallucination.

Lorsque la peur est à son paroxysme et pétrifie, elle devient la *terreur* ou effroi (*Schreck*, chez Freud) qui « désigne un danger auquel on n'était pas préparé par un état d'angoisse [= d'anxiété] préalable » (Freud). La terreur, l'effroi sont donc de la peur, mais très amplifiée : leur objet était tout imprévu, leur effet envahit et déborde le sujet terrorisé. (Le cauchemar véritable, qui arrache des cris au dormeur, est un état de terreur.)

## II. — Séparer des états timériques banaux trois types d'anxiété

Si l'on demande à quelqu'un : « Etes-vous quelquefois ou souvent anxieux ? », une réponse affirmative est plus que probable. Qui, au cours de sa vie, n'aurait pas rencontré (maladie, de soi-même ou des siens, absences, retards prolongés, symptômes divers, guerres, bombardements, ...) plusieurs occasions de l'inévitable anxiété ? *L'anxiété normale est l'état de l'affectivité* — avec, dans les grandes anxiétés, des retentissements physiologiques de tous ordres (troubles circulatoires et nerveux, respiratoires, digestifs, intestinaux, sudatoires, ...) — *qui résulte de la prévision ou de la crainte d'un danger prochain, généralement assez bien déterminé, pour soi ou pour d'autres.*

**Les trois types d'anxiété.** — C'est précisément cette détermination qui permet de répondre à la question que pose J. Favez-Boutonier : « Avec ou sans angoisse, *est-ce la même anxiété* ? (...) Qu'est-ce qui distingue l'anxiété avec angoisse de l'anxiété sans angoisse, comme expérience vécue ? » [15, p. 27]. Répondons :

1) *L'anxiété d'objet* perçoit son objet dans les faits, dans les événements, dans la réalité vécue, parfois démesurément grossie ou faussement interprétée. L'anxiété ordinaire est toujours capable de se rattacher à des objets et à des motifs qui la justifient. C'est un état psychologique banal.

2) L' « attente anxieuse », si bien reconnue par Freud, n'appartient plus au domaine psychologique ordinaire. Elle déborde la normalité :

> « Anxiété flottante, prête à s'attacher au contenu de la première représentation susceptible de lui fournir un prétexte, influant sur les jugements, choisissant les attentes, épiant toutes les occasions pour se trouver une justification (...). Tendance à l'attente du malheur, trait de caractère propre à beaucoup de personnes qui, à part cela, ne paraissent nullement malades » [Freud, 2, p. 375].

Puisque Freud nous laisse le choix, à égalité, entre « angoisse d'attente » et « attente anxieuse », nous choisissons « attente anxieuse ». C'est bien dans le registre de l'anxiété, non pas de l'angoisse, que s'inscrit cette attitude, souvent presque chronique. C'est elle qui, chez les anxieux informés ou mystiques, revendiquera, comme chez Kierkegaard, un statut philosophique ou métaphysique, et, plus souvent encore, ces significations religieuses que les mystiques ont décrites. Alors que l'anxiété d'objet, même fréquente, naît et meurt avec ses objets, l'attente anxieuse s'efforce de se découvrir non pas des objets, du moins des raisons : éléments surajoutés par la réflexion, légitimations et exhaustions d'après coup *pour une anxiété qui n'est pourtant plus une anxiété de l'objet, mais une anxiété fondamentale — une anxiété du sujet*, liée à l'être et à la *situation* de celui-ci, confusément perçue.

Ce second type d'anxiété tisse l'horizon sur lequel se détacheront, par phases plus ou moins rapprochées, les éclairs de la crise d'angoisse proprement dite. Lorsque, sur des périodes de vie qui peuvent aller de quelques semaines à plusieurs années et qui se renouvellent ou restent isolées dans l'existence du sujet, l'anamnèse fait apparaître ce fond diffus d'anxiété, lorsque l'homme non informé se sent « mal dans sa peau » tandis qu'un Pascal éprouve anxieusement « le silence éternel des espaces infinis », *et que surgissent par ailleurs les crises d'angoisse*, comme pour Pascal celles de la célèbre nuit du 23 novembre 1654, alors on a affaire à l'authentique angoisse névrotique, avec ses deux composantes : l'accès plus ou moins fréquent d'angoisse et le fond presque constant d'anxiété.

Cette anxiété « flottante », sans objet déterminé, qui constitue la base relativement assidue des accès d'angoisse, apparaît comme une anxiété *fondamentale*. Nous désignerons désormais ainsi *ce premier volet du diptyque de l'angoisse névrotique*, le second volet étant évidemment la crise d'angoisse elle-même. Lorsqu'il s'agira seulement d'une angoisse épisodique et de force modérée, l'anxiété fondamentale *semblera* assez souvent faire défaut. Elle sera pourtant là, discrètement présente dans la situation psychologique actuelle du sujet : un certain désarroi global, vague, indistinct (on ne sait pas bien où l'on en est) ; la route paraît obscure, encombrée, incertaine. Ce sentiment de solitude et de doute peut « se développer lorsqu'on vient de quitter la maison ou l'école, à la fin des études, après un mariage, à la naissance d'un premier enfant, devant une promotion de responsabilité, c'est-à-dire *après un changement* qui rend la structure du comportement et les défenses habituelles inadéquates » [Rycroft, 29, p. 172].

3) *Un troisième type d'anxiété, l'anxiété de l'inconscient*, peut être maintenant comparé aux deux types précédents, qui se sont situés tous deux dans le conscient : l'anxiété d'objet dans la pleine clarté de la conscience, l'anxiété du sujet déjà dans sa pénombre. Cette troisième catégorie d'anxiété appartient, elle, à l'inconscient. Freud l'a mise en évidence dans *Cinq psychanalyses* [9]. Il s'agit d'affects *refoulés* provoquant une anxiété, inconsciente pour sa plus grande part, et une angoisse phobique également issue de l'*inconscient*. Ce sont celles du « petit Hans », de « l'Homme aux loups », de « l'Homme aux rats ». Ici l'anxiété inconsciente est liée, comme l'angoisse, à un refoulement. Cette angoisse se développe toujours dans le moi, bien évidemment (puisqu'elle est éprouvée) ; mais elle sourd du renvoi dans l'inconscient d'une pulsion libidinale. L'origine de l'angoisse névrotique se repérait aisément, pour ses racines comme pour son jeu, dans le moi ou à la limite indécise où le moi se mêle aux premières zones de l'inconscient. Au contraire l'angoisse phobique et le type d'anxiété qui par phases lui fait cortège ne manifestent que les *symptômes* (l'angoisse de Hans devant les chevaux) d'un trouble inconscient. La psychanalyse prend alors la parole pour en rechercher la nature et l'origine.

Ecartons une erreur de terminologie, dans laquelle Freud n'est pas tombé, mais risque de faire tomber son lecteur, en nommant « angoisse réelle » *(Realangst)* ce qui n'est qu'une *anxiété* du premier genre : la grande anxiété d'objet. Quelles que soient son intensité et celle des phénomènes physiologiques qui peuvent l'accompagner (tremblement, pâleur, sécheresse de la bouche, transpiration intense, etc.), aucune différence de nature n'apparaît par rapport soit à la peur, soit à l'anxiété banale. Par contre, la distance est essentielle par référence à l'angoisse véritable qui, ni dans son fond d'anxiété ni dans ses accès paroxystiques, ne peut se donner un objet.

Cependant, l'*angoisse phobique incompréhensible* (à la vue d'une souris, d'une plume, d'une araignée, d'un poisson rouge, etc.) est bien une angoisse, car son objet apparent n'est qu'un faux objet, une fixation de rencontre de l'angoisse qui, disponible, cherchant des exutoires, circule *dans le moi*. Le moi en est seul responsable : ces phobies n'ont pas d'origine plus profonde. Souris, araignées, plumes ou poissons rouges, *aucun de ces objets n'a de rapport authentique avec l'angoisse*. Seul le hasard a, probablement, fait qu'à une occasion quelconque le fond d'anxiété a débordé et a fixé un affect sur la souris ou l'araignée qui passait là. Objets sans signification symbolique, ces fixations sont de fortune et de surface. Elles ne correspondent pas à un conflit inconscient.

### III. — De l'angoisse névrotique épisodique à l'angoisse névrotique chronique

Presque toujours associée à un fond d'anxiété flottante, l'angoisse névrotique, qu'elle soit épisodique et modérée ou forte et chronique, a pour caractéristique générale de ne répondre à aucune cause objective.

**L'accès spontané d'angoisse** se produit « sans rapport avec des conditions quelconques, d'une façon aussi incompréhensible pour nous que pour le malade, comme un accès spontané et libre, sans qu'il puisse être question d'un danger ou d'un prétexte » (Freud).

Le témoignage direct de Simone de Beauvoir est éloquent :

« Une nuit, à la Grillère comme je venais de me coucher dans un vaste lit campagnard, l'angoisse fondit sur moi. Il m'était arrivé d'avoir peur de la mort jusqu'aux larmes, jusqu'aux cris; mais cette fois c'était pire : déjà la vie avait basculé dans le néant : rien n'était rien, sinon ici, en cet instant, une épouvante si violente que j'hésitai à aller frapper à la porte de ma mère, à me prétendre malade, pour entendre des voix. Je finis par m'endormir, mais je gardai de cette crise un souvenir terrifié » (*Mémoire d'une jeune fille rangée*, coll. « Folio, » p. 287).

Mais, le plus souvent l'accès consiste en un ensemble dramatique d'impressions physiologiques et psychologiques intimement mêlées. Le Dr Marcel Eck affirme justement le critère somatique qui sépare l'anxiété de l'angoisse : « *L'angoisse se distingue de l'anxiété, souvent par la prédominance, toujours par la participation, d'un élément somatique.* » Et cet auteur donne de l'angoisse une ferme description : « Impression de constriction thoracique, de torsion épigastrique ou abdominale, de gorge serrée (pharynx : on ne peut plus avaler ; larynx : on ne peut plus parler). Impression indéfinissable qui étreint les lombes, descend presque dans les mollets. Dérobement des jambes : on ne peut plus avancer ; la fuite, ou tout au moins la pensée de la fuite, est impossible. Voile noir devant les yeux, tout se brouille ; les sons ou bien ne sont plus perçus, ou bien sont déformés ; les tempes battent et résonnent. La sueur coule de partout » [30, pp. 14-15]. Le critère somatique doit toutefois être précisé : l'inquiétude, la peur, l'anxiété peuvent, elles aussi, provoquer des sudations intempestives, de petits halètements. La différence est que les phénomènes somatiques de l'accès d'angoisse, même mineur, ont toujours une allure explosive, un aspect de rupture, une marque dramatique, une valeur d'exception saisissante, ce qui n'est pas le cas pour les sudations banales de la simple anxiété.

L'expérience de l'angoisse névrotique est très fréquente mais non pas unanime. Dans l'enquête que nous avons menée en interrogeant au hasard 500 sujets des deux sexes, âgés de 17 à 19 ans (1) :

**Fréquence des états d'anxiété et des accès d'angoisse sur 500 sujets (de 17 à 19 ans)**

| | | |
|---|---|---|
| *Anxiété* | Anxiété simple (« anxiété épisodique ») | 402 |
| | Anxiété quasi constante ou très fréquente (« anxiété fondamentale ») | 87 |
| | Aucun souvenir déclaré d'anxiété (?) | 11 |
| *Angoisse* | Accès épisodiques d'angoisse — de un à cinq accès remémorés | 388 |
| | Accès d'angoisse fréquents et forts | 89 |
| | Aucun souvenir déclaré d'accès d'angoisse (ni épisodique, ni forte et fréquente) | 23 |

Nous n'avons trouvé que 18 % d'angoisses névrotiques accentuées répondant à la définition freudienne de l'angoisse névrotique (ou « névrose d'angoisse »). Mais 388 sujets sur 500, soit 77 %, connaissaient l'angoisse épisodique, soit au total 95 % d'angoissés, majeurs ou mineurs. (L'angoisse épisodique ou exceptionnelle n'est pas essentiellement différente de l'angoisse répétée et forte de la névrose. L'expérience, le vécu, de l'angoisse est identique dans les deux cas, avec seulement des plus ou des moins dans la fréquence et l'intensité.)

Cette statistique fait sauter aux yeux la presque parfaite coïncidence, d'une part entre les anxiétés épisodiques (402 cas sur 500) et les accès épisodiques d'angoisse (388), d'autre part entre les anxiétés

(1) A chaque sujet interrogé nous fournissions une description séparative de l'angoisse névrotique en insistant particulièrement sur son caractère pathognomonique : absence de tout objet, de toute raison manifestes. Nos sujets : des élèves des classes terminales des lycées, interrogés de 1964 à 1970.

quasi constantes (« anxiétés fondamentales », 87 cas) et les angoisses fréquentes et fortes (89 cas). L'explication introductive fournie aux jeunes gens interrogés évoquait comme un critère fondamental de l'angoisse — il sera sans doute à nuancer davantage, mais il possède une forte valeur de diagnostic et de signification — l'absence de tout objet, de toute raison manifestes. Elle a donc en principe écarté les angoisses attachées à un objet déterminé (comme les angoisses phobiques du petit Hans ou de « l'Homme aux loups ») dont nous traiterons séparément et précisément (chap. VII). Il ne s'agit donc, dans l'enquête citée, que des angoisses névrotiques. Freud est bon pédagogue en isolant ce type d'angoisse sous le nom d'angoisse *actuelle* : elle tient son origine et ses traits principaux de l'actuelle situation psychologique — et non psychique (1) — du sujet : c'est en inventoriant celle-ci, et en reliant les fruits de cet inventaire du moi à sa situation d'ensemble, qu'on en découvre l'explication. Globalement, redisons-le avec Freud (même si certains de ses disciples actuels contestent quelque peu cette déclaration), les angoisses actuelles sont inaccessibles à la psychothérapie analytique, précisément parce qu'elles sont actuelles et issues du moi conscient ou semiconscient, non de l'inconscient.

## IV. — Les angoisses névrotiques à fixation phobique

Elles ne constituent qu'une variante. Elles se présentent sous trois aspects dans lesquels l'aspect phobique est toujours accessoire et contingent, au

(1) « Psychologique » : qui intéresse principalement le conscient ; « psychique », qui intéresse l'ensemble de la psyché et participe donc largement de l'inconscient.

contraire de la phobie essentielle que nous signalerons tout à l'heure (§ V). Ecartons d'abord *l'angoisse phobique presque compréhensible* (à la vue d'un serpent par exemple) : ce n'est qu'une peur intense, une terreur. De même *l'angoisse phobique, excessive et systématisée* (phobie de l'auto, du bateau, de l'avion) possède encore un lien logique avec son objet. Elle n'est, elle aussi, qu'une variété de la peur.

Mais il convient enfin d'évoquer le troisième aspect et de situer dans ce même cadre *l'anxiété et l'angoisse obsessionnelles.* S'agit-il bien d'une anxiété ou d'une angoisse ? Nous ferons une réponse analogue aux précédentes ; il est des obsessions qui sont seulement des anxiétés sans angoisse. Leur rapport à l'objet est distendu jusqu'à ne plus être significatif. L'objet prend cet air de gratuité, de non-rapport ou de faux rapport qui signe l'anxiété obsessionnelle.

Quelques exemples illustreront cette distance relative. Un anxieux de type banal saisit les occasions d'anxiété, il les élargit au point d'en emplir presque tout son champ de conscience : si l'un des siens est en voyage, en mer, sur la route, s'il a un peu de fièvre, cette pensée ne le quitte pas. Quelle différence avec la névrose obsessionnelle ? Simplement celle-ci : dans la névrose obsessionnelle le rapport à l'objet, après tout relativement logique dans le cas de l'anxiété sans angoisse, n'a plus qu'un très vague support logique. L'anxieux obsessionnel se sent obligé de redescendre vérifier, puis vérifier encore, si le radiateur électrique a bien été débranché, si la porte est vraiment bien verrouillée, si le chèque tout à l'heure signé correspond bien à la somme due, alors qu'il est sûr d'avoir bien fait ce qu'il fallait faire. Il s'agit d'une compulsion qui échappe à tout raisonnement. Voici un autre sujet qui se sent obligé invinciblement d'aller toucher, caresser un bouton de porte. De même que l'angoisse névrotique peut être nommée « névrose d'angoisse » dans les cas accentués, de même l'angoisse névrotique de type obsessionnel peut être désignée, à la limite des cas, comme « névrose obsessionnelle ». Les obsessions sont alors plus aberrantes encore ; ainsi de « l'Homme aux rats » observé par Freud : il s'éprouvait poussé à imaginer des rats rongeant l'anus de sa fiancée et celui de son père, bien qu'il ait eu pour sa fiancée et pour son père décédé un très grand respect. Certains obsessionnels se sentent obligés les uns, croyants, de blasphémer dans une église, les autres, agnostiques ou athées, de se signer. Rycroft cite même le cas d'une femme obligée de piquer sa fourchette dans le doigt de son jeune époux bien aimé, et qui de ce fait éprouvait une véritable angoisse à s'asseoir à la même table que lui. A plus faible échelle certains tabous, certains gestes protecteurs, le fait d'éviter certaines paroles ou certains nombres, et l'innocente manie de « toucher du bois » pour prévenir la malchance sont des aspects très mineurs de l'anxiété obsessionnelle. Comme toutes les anxiétés, celle-ci peut être ou non accompagnée de crises d'angoisse, qui soutiennent alors avec l'anxiété obsessionnelle exactement le même rapport que l'angoisse nerveuse ou névrotique en général avec l'anxiété en général, et nous n'aurions qu'à redire ici ce que nous avons dit plus haut (pp. 6-7) (1).

## V. — L'angoisse psychique (angoisse de l'inconscient)

En ce point, un choix doit-il s'accomplir entre les deux descriptions majeures que Freud propose de cette angoisse, issue de l'inconscient, qu'il appelle « hystérie d'angoisse » ? Nous ne les résumerons pas également. Nous montrerons plutôt qu'il y a chez Freud *une* théorie de l'angoisse, dans laquelle on ne voit clair qu'en se demandant toujours, en fonction du contexte, de quelle sorte d'angoisse il traite. Comme nombre de ses successeurs, Freud ne le précise pas toujours : on parle de « l'angoisse », sans autre détermination. Nous verrons qu'il y a pourtant nécessité de bien, et constamment, distinguer dans *la* théorie freudienne *des* angoisses,

(1) Les angoisses obsessionnelles sont peu fréquentes. Dans la suite, nous n'en reprendrons pas l'étude.

l'angoisse névrotique, qui est une angoisse du conscient, et l' « hystérie d'angoisse », que nous nommerons « angoisse de l'inconscient », ou « angoisse psychique ». Entendons par là une angoisse qui, à partir d'une pulsion inconsciente, provoque dans le moi un affect phobique ou angoissé et, le plus souvent, un affect phobique-angoissé. Entièrement distincte dans son origine et sa nature, il est évidemment possible que l'angoisse psychique rencontre l'angoisse névrotique, comme une pneumonie peut se greffer sur une grippe. Mais elle est tout autre : elle ne trouve son explication et sa liquidation que par les voies de l'analyse ou de l'auto-analyse (Karen Horney).

Nous la nommons *angoisse psychique* parce que des impressions *insérées dans l'inconscient* ont provoqué un arrêt ou une déviation dans le processus normal de l'évolution, ou, activées par une circonstance quelconque, une régression à un stade antérieur. Elle correspond à une maturation manquée du psychisme, à des fixations relâchées, inachevées ou régressives de la libido, c'est-à-dire du désir entendu au plus large sens freudien. Ce trouble appartient, non plus aux névroses, mais aux *psychonévroses*. Tandis que l'angoisse névrotique s'explique (même si elle renvoie pour une part à des souvenirs ou à des quasi-souvenirs) par la situation *actuelle* du moi, consciemment ou confusément ressentie, l'angoisse de la psychonévrose est — ce vocable l'indique assez — une angoisse psychique, spécifiée dans *l'histoire* inaperçue de la personnalité. Elle symbolise un conflit infantile inconscient, probablement confirmé et creusé encore par le style de la vie infantile et/ou juvénile. Le terme de « psychonévrose » signifie que le trouble est, cette fois, intérieur au psychisme, lié à son histoire, fixé dans l'inconscient, tandis que la simple névrose se déroule dans le moi. (Il ne signifie d'ailleurs pas que nous soyons là au voisinage de la psychose.)

Objectivement, il semble impossible de ne pas retenir la claire distinction de Freud entre le moi et le çà. Cette coupure même relative, on ne peut la passer au compte « profits et pertes » de la psychanalyse. Elle reçoit ici une application légitime, et qui la légitime. J. Laplanche, l'un des artisans du rapprochement entre névroses actuelles et psychonévrose, entre angoisse névrotique et angoisse psychique, reconnaît pourtant que « cette distinction conserve sa valeur ; elle est celle de deux éléments structuraux qui se trouvent généralement agir de façon complémentaire ». Ainsi se présente en effet la problématique de telle ou telle angoisse, observée chez un sujet ou en soi-même : est-ce une angoisse névrotique ou une angoisse de l'inconscient ? Les séparations tranchées sont certes plus faciles dans la nosologie que dans la réalité clinique : comment l'angoisse névrotique ne croiserait-elle pas assez souvent quelque fantasme, comme une névralgie croise une céphalée ? Cependant la distinction entre l'angoisse névrotique et l'angoisse de l'inconscient (« hystérie d'angoisse ») reste fondamentale et, semble-t-il, indispensable à l'explication des phénomènes d'angoisse et de leur diversité. Elle recevra son achèvement lorsque, en 1926 [4], Freud conférera le rôle principal dans l' « hystérie d'angoisse » à l'angoisse de la castration, tout inconnue de l'angoisse névrotique.

Venons-en maintenant à l'analyse des différents types d'anxiété ou d'angoisse que nous venons d'énumérer.

# DEUXIÈME PARTIE

# *LES ANXIÉTÉS*

## CHAPITRE II

## L'ANXIÉTÉ CONSCIENTE DE SON OBJET

On passe de l'inquiétude à l'anxiété par le simple accroissement de l'intensité des affres psychologiques et des troubles physiologiques. Ceux-ci (sudations, accélération marquée des rythmes cardiaque et respiratoire, dérobement des jambes) peuvent servir de critère : leur absence ou leur faiblesse marque l'inquiétude ; leur présence et leur force signent l'anxiété. Mais le grand syndrome fourni par la constriction thoracique douloureuse et paralysante n'est jamais présent dans l'anxiété, aussi forte qu'elle soit. Il demeure à son tour le critère décisif pour séparer anxiétés et angoisses : il est le propre de l'angoisse.

L'anxiété d'objet (1) est fixée, de façon vague ou précise, sur un certain danger : elle ne sait s'il s'accomplira, mais elle sait quel il est. Tandis que la peur est plutôt un *événement* psychologique, l'anxiété

(1) Le mot *objet* est évidemment pris ici dans son sens banal, nullement dans son acception psychanalytique. Ici, il signifie seulement que dans ce type d'anxiété le sujet anxieux rapporte son anxiété à un *objet* extérieur, à une cause qui la fonde.

d'objet est un *état* psychologique : elle se développe dans la conscience.

A son sujet, on peut retenir l'explication behavioriste par le conditionnement : « Si une porte claque violemment au moment où l'obscurité est faite dans la chambre d'un enfant, cela suffit pour que cet enfant ait désormais peur de l'obscurité, car il la lie au conditionnement fixé en lui par la frayeur du claquement de la porte. Miss Jones a été le témoin de la formation d'une peur conditionnée dans des conditions naturelles. Un enfant joue sous une véranda, et sa curiosité est attirée par un bocal où nage un poisson rouge. Au moment où, plongeant la main dans l'aquarium, il touche le poisson, éclate le vacarme d'un coup de tonnerre. Désormais la vue non seulement du bocal, mais encore d'un poisson, suffit à susciter la peur chez cet enfant » [A. Tilquin, cité *in* 15, p. 82].

De l'anxiété momentanée, fondée sur un péril manifeste, à l'anxiété démesurée et persistante qui s'établit sur un danger potentiel, mais toujours en rapport avec la situation présente, la transition est insensible et non signifiante. L'anxiété d'objet est considérée comme dépassant la normale quand elle dépasse en intensité et en fréquence la moyenne statistique des anxiétés. Normale si elle est provoquée par l'attente du diagnostic décisif fourni par une radiographie ou une biopsie, elle est réputée excessive et anormale quand, tout son entourage en bonne santé, une mère s'éprouve anxieuse à l'idée que des maladies redoutables, déterminées ou non, peuvent s'abattre sur ses enfants.

Chaque micro-milieu établit ses « normes » propres d'anxiété. Il est des familles où l'anxiété court de l'un à l'autre, se gonflant encore à chaque échange. La norme de l'anxiété dépend aussi de données

ogiques plus larges : certaines peuplades pri-
/es sont anxieuses par anxiété d'objet : elles
utent quantité d'objets, de circonstances, de
jonctions entre certains événements, tandis que
autres sont presque impavides. Pour une même
opulation, certaines périodes historiques paraissent
ussi plus anxiogènes que d'autres : celle que nous
vivons paraît bien atteindre l'un des sommets socioculturels de l'anxiété (comme d'ailleurs de l'angoisse). Les sources de cette expansion, nous les trouvons assez aisément dans les aspects inquiets, survoltés, ambigus, instables, boulimiques, pornographiques, d'une société en voie de se désintégrer.

Faible et rare, ou puissante et fréquente, cette anxiété de l'objet ne dégénère que rarement en crises d'angoisse tandis que nous aurons à décrire tout à l'heure (chap. III) une anxiété *du sujet* ; toute différente, cette anxiété fondamentale fera d'emblée partie intégrante du complexe de l'angoisse.

Le changement, ou plus encore toute perspective de changement, constitue l'une des sources de l'anxiété banale. Le changement menace en effet de remplacer un objet dont nous avions à peu près réussi à faire le tour — notre univers d'aujourd'hui — par un autre objet, que nous ne pouvons qu'imaginer. Cet autre objet, cerné d'incertitudes, nous en faisons souvent — selon notre caractère — un objet anxiogène. Le changement est certainement à l'origine fréquente d'une anxiété. Mais l'anxiété s'avère différente avant le changement et après le changement.

## I. — L'anxiété avant le changement

On peut rassembler sous cette rubrique un lot important d'attitudes anxieuses : l'examen est à

« subir », l' « épreuve » à « affronter » (des mots à la fois transparents et anxiogènes). De la démarche gênante à l'inquiétude provoquée par l'éloignement, la maladie, les investigations médicales, une menace morale (difficultés conjugales, crainte d'une rupture, attitudes d'opposition ou de refus d'un enfant, etc.), l'inquiétude s'alourdit de caractéristiques physiologiques et psychologiques nouvelles : agitation ou abattement, sudations diurnes et nocturnes lorsque l' « idée » du changement à venir, de l'événement redouté, pendant le jour envahit l'esprit, pendant le sommeil produit des fantasmes plus ou moins directs. Corrélativement, il devient plus difficile d'organiser les idées, d'envisager clairement le problème, d'où l'impression accrue de débordement, de submersion par une difficulté que l'anxiété brouille et dramatise, parfois jusqu'à la dépression.

Sur ces conduites pessimistes et paralysantes se greffe, presque nécessairement, une agressivité globale ou personnalisée : on s'en prend à telle ou telle personne de l'entourage, alternativement ou ensemble. L'époux (ou l'épouse) morigène sa femme (ou son mari) qui a décidé, accepté ou subi le changement.

La dynamique de l'anxiété engage parfois, dans ses paroxysmes, des réactions en chaîne ou en boule, à grand fracas (colères, crises de larmes), ou à moindre bruit (larmoiement, voix éteinte, allure lasse et abattue). C'est que l'anxiété est un mouvement de l'émotivité qui désorganise l'équilibre affectif et intellectuel, pour lui substituer provisoirement des conduites régressives et démissionnaires ou des élaborations abusives. Ce choix n'est d'ailleurs pas de hasard : dans les caractères de type « primaire » (1) prévalent les impressions de dispersion du problème,

(1) Voir ci-dessous, p. 30.

de découragement, de démission (« je ne sais pas où j'en suis », « je suis désemparé », « dépassé », « dans le brouillard »). Dans les caractères de type « secondaire » (1), l'anxiété couvre aisément ses acmés par des interprétations systématisées destinées à les expliquer et à les justifier. En ce cas l'anxiété provoque des attitudes paranoïdes, tandis que d'autres fois c'est la tendance paranoïaque qui engendre une anxiété particulière, l'anxiété paranoïde.

Dérèglement fondamental de l'émotivité devant la perspective du changement, l'anxiété retentit pareillement sur l'activité.

Devenue velléitaire ou brouillonne — « je ne savais plus que faire » —, l'activité anxieuse s'inscrit dans une causalité circulaire : on est anxieux et on agit mal (ou l'on n'agit pas) ; on agit mal et l'on est encore plus anxieux, et ainsi de suite. Lorsque le cercle de l'anxiété inactive se resserre, chez un sujet très émotif, sur une circonstance précisée et redoutable, elle peut s'adjoindre des phénomènes physiologiques spécifiques et mineurs (sudations, mains moites et tremblantes, etc.). Ces petites manifestations ne sont pas l'angoisse. Il y manque deux traits caractéristiques de l'angoisse : les impressions de striction, de broiement ou de chute, d'une part, et, d'autre part, l'absence de tout objet manifeste : aussi fortement anxieux qu'il soit, l'anxieux connaît ou pressent le motif de son anxiété.

## II. — L'anxiété après le changement

Qu'il s'agisse d'un déménagement, d'un nouvel emploi, d'une nouvelle situation familiale, d'un mariage, d'une naissance non désirée, d'un divorce, d'une épreuve quelconque, les personnalités anxieuses le sont généralement moins après qu'avant. Elles ont redouté le changement annoncé plus qu'elles ne refusent le changement accompli. Une modification assez lente du statut et du rôle ne

(1) Voir ci-dessous, p. 30.

provoque pas d'accès d'anxiété parce que les habitudes peuvent ainsi suivre le train de la modification. Se prenant assez vite, elles servent d'ancrages dans la mer de la nouveauté. On fait face, généralement, à la situation « plus facilement que prévu ». Cependant après l'action — un changement par soi-même accompli —, l'anxiété reprend souvent la parole et même s'installe parfois au-devant de la scène. Après une visite : « pourvu que je n'aie pas commis d'impair ! » ; après une communication ou une conversation : « pourvu que je ne l'aie pas froissé », « que je l'aie assez bien remercié », etc. « Je passe mon temps, nous écrit un anxieux, à me demander ce qu'on va dire de moi, ce que mon chef de service pense de mon travail. » Un autre : « Depuis votre inspection, je ne dors plus guère ; veuillez me dire dès que possible ce que vous avez pensé de mon enseignement, au moins je serai fixé ; tout vaut mieux que l'incertitude. »

Pierre Janet l'avait bien vu : « Le principe du changement implique, par le risque même de l'aventure à laquelle il convie le sujet, une conduite de freinage qui elle-même comporte le risque d'immobiliser le sujet. » Un anxieux qui recevrait l'assurance que rien ne changera plus, que rien n'arrivera plus, cesserait bientôt d'être anxieux. Mais il n'est pas assuré qu'il n'en serait pas déçu. Certains, après avoir alimenté de prémonitions, de pressentiments ou de superstitions leur anxiété, la nourrissent encore aux signes du zodiaque, aux prédictions, à ce qui la focalise sans la restreindre.

## III. — L'anxiété scolaire

S'inscrivant tout droit sous la rubrique de l'anxiété d'objet par crainte du changement, l'anxiété scolaire explique un grand nombre d'insuccès dont ne sont responsables ni le défaut d'intelligence ni le manque de zèle de l'élève. Elle est assez mal aperçue : l'anxiété de certains — plus nombreux qu'on ne le pense — est noyée dans l'adaptation aisée du plus grand nombre. Nous ne réétudierons pas ici cette difficulté considérable (1). Rappelons seulement que, sauf le cas assez rare d'une insuffisance intrinsèque de l'intelligence, l'insuccès scolaire tient quelquefois dans une inadaptation anxieuse à l'école. Imposition sociale catégorique dans chacune de ses exigences et dans son principe même, l'école est obligation de changer et de changer encore, d'abandonner ce que l'on vient d'apprendre pour apprendre autre chose encore. Ces innovations successives et difficiles sont insécurisantes : le problème inconnu, la question imprévue, l'orthographe à retrouver, l'interrogation brusque du maître, l'appel au tableau, autant de changements constants et, pour certains, anxiogènes. Qu'on joigne à cette insécurité celle qui procède d'une vie collective à la fois exubérante (pour la plupart) et éprouvée par quelques-uns comme brutale, fondée sur des conventions sauvages, qu'on y joigne encore les alarmes répétées devant des maîtres inconnus, aux exigences peu comprises, à la personnalité énigmatique, on comprendra que *certains*, élèves, lycéens, voire étudiants, se réfugient dans une impression de difficulté, de désarroi, voire d'impuissance, plus ou moins marquée certes, qui les diminue, les isole et parfois les accable assez pour provoquer des épisodes d'angoisse névrotique se greffant sur l'anxiété fondamentale.

(1) Cf. André Le Gall, *Les insuccès scolaires*, PUF, coll. « Que sais-je ?, 8e éd.

L'école n'en est pas seule responsable. L'anxiété scolaire est ressentie à l'école et par l'école, mais elle croise assez souvent le fâcheux auxiliaire de l'exigence familiale. A la sortie de l'école, une autre épreuve commence : le compte rendu aux parents. Bien des familles ne le demandent pas. Mais l'enfant, questionné de façon maladroite, ressent le père et la mère, le père surtout, comme des censeurs majeurs, eux-mêmes souvent anxieux, de ses résultats. L'anxiété de l'élève est constituée de trois éléments : la tendance anxieuse, l'anxiété de sa famille, l'anxiété (éventuelle et diversement exprimée) de ses maîtres. Incontestablement, quelques enseignants — de moins en moins nombreux — provoquent une sorte de « dépression » scolaire. Le laxisme de la non-directivité totale est certainement abusif. Pour certains caractères (ceux que nous nommons les « primaires », et surtout les « inactifs-primaires »), une exigence est nécessaire. Mais, si elle ne se nuance pas selon les caractères, si le climat de la classe n'est pas rassurant et entraînant, si la tranquillité familiale ne repose pas l'enfant de l'exigence scolaire, celle-ci est un facteur fréquent d'inadaptation, la personnalité malmenée refusant consciemment ou inconsciemment de mobiliser l'intelligence.

Pour tenir, maître ou parent, le rôle compréhensif et rassurant, il faut d'abord être au clair avec soi-même, et pas trop anxieux. Il serait au moins souhaitable que les maîtres reçoivent une méthode d'examen et de découverte de soi et de leurs élèves (1). Que trop d'élèves de l'école primaire redoublent encore une classe et que 150 000 jeunes arrivent à la fin de la scolarité obligatoire sans aucune formation professionnelle et avec une formation générale bien légère et vague, cela appelait sans doute des réformes organiques du système scolaire. Mais une réforme, *psychologique* cette fois, reste à accomplir. Elle devrait, entre autres, mettre à jour la double anxiété scolaire et familiale et sa conséquence : l'anxiété paralysante des élèves, statistiquement présente chez 10 à 15 % d'entre eux. S'il est impossible et inutile d'alerter toutes les familles à ce propos, du moins devrait-on repérer ces nombreux anxieux, les traiter de façon adaptée et demander à leurs parents de faire de même (2).

Cette situation se retrouve d'ailleurs chez un certain nombre d'adultes : n'ayant pu acquérir l'autonomie, ils connaissent

(1) Cf. André Le Gall, *Caractérologie des enfants et des adolescents*, Puf, 8e éd.

(2) Cf. André Le Gall, *Les insuccès scolaires*, Puf, 8e éd., coll. « Que sais-je ? ».

eux aussi l'anxiété dans leur vie personnelle, familiale et professionnelle, comme les élèves dans leur vie scolaire.

Le devenir personnel peut créer, même chez les parents peu prédisposés, un mécanisme d'amplification progressive, le plus souvent à partir d'un traumatisme (la maladie d'un enfant par exemple, et surtout les maladies à répétition : combien de mères sont devenues anxieuses à partir des rhino-pharyngites de leurs enfants, craignant bientôt une méningite sous les apparences de la « rhino » banale). A force de se répéter, l'anxiété, jusque-là inconnue et d'abord accidentelle, s'ancre dans la personnalité, devenant bientôt non plus seulement une anxiété de l'objet, mais presque une anxiété du sujet. Bleuler avait raison : « Les deux points de vue réunis — le point de vue de l'objet et le point de vue du sujet — forment l'ambivalence. » Objectivement, la mère devrait se rassurer ; subjectivement elle s'alarme de plus en plus.

## IV. — Ambivalence générale de l'anxiété d'objet

L'ambivalence assez générale de l'anxiété est largement signalée par plusieurs recherches [11, 17, 25, 30, 37, 38, 43].

L'enfant la pratique fortement, elle forme le support de plusieurs de ses jeux : s'il joue au « shérif », ce n'est pas seulement pour faire la loi, c'est aussi pour être en danger ; s'il tire au revolver c'est sur un ennemi figuré qui le menace ; s'il aime les « westerns », c'est que la bivalence y est totale jusqu'au dernier épisode. En pleine ambivalence d'attrait et de retrait un certain nombre de garçons et de filles recherchent récits et contes dramatiques, spectacles cruels (le lapin, le porc, le poulet que l'on tue). Bien des attachements persévérants de l'enfant à son ours en peluche tiennent pour une part à l'anxiété que cet objet insolite a provoquée quand l'enfant l'a reçu, à six mois, et à l'ambivalence qui l'a bientôt transformé en un fétiche.

Nombre d'adultes poursuivent les mêmes recherches : le « suspense » signale de façon péremptoire la bivalence et l'attrait de l'anxiété. Il est proposé comme un antidote peu coûteux à une existence trop uniforme ou, pour d'autres, comme une universalisation qui légitime leur propre anxiété. Les films ou les lectures d'épouvante, les spectacles de combats (boxe, catch, tauromachie, combats de coqs) tirent leur attrait d'une multivalence psychologique d'émotivité anxieuse, assaisonnée d'attentes sadiques. C'est une anxiété active que recherchent ou recherchaient les trappeurs, les chercheurs d'or, les chasseurs de fauves, les « brigades antigang », les « combattants de choc », les aventuriers actifs qui prennent l'aventure à leur compte tandis que les aventuriers non actifs attendent qu'elle se propose dans une salle de jeu, un salon ou un bar. Le fameux « trac », dont les acteurs font manifestement une originalité de leur statut, n'est pas d'une autre nature.

Ils en poussent le récit jusqu'à une apparente invraisemblance : on a peine à croire qu'un acteur ressente un « trac affreux » lorsqu'il monte en scène pour la cinq centième d'une comédie de boulevard... Cependant les témoignages abondent : Louis Jouvet entrait en scène couvert de sueur — et d'un eczéma probablement psychosomatique — pour la cinq centième de *Knock*...

La grande vitesse en voiture ou à moto fournit pour une part importante l'impression de valorisation personnelle tirée de la rapidité maîtrisée de l'engin, pour une autre part les sensations physiques que procure la vitesse (chez quelques-uns elles provoquent l'orgasme), mais aussi une certaine anxiété ambivalente, qui en fait le piment. L'ambivalence fondamentale de cette anxiété se définit par un doublé. D'un côté une anxiété recherchée, faite d'une insatisfaction du présent et de l'attente anxieuse de l'action. Somme toute positive, heureuse, elle a pour trait essentiel l'impatience d'un rôle à reprendre. Les héros majeurs ou mineurs des westerns attendent avec une sorte de flegme apparent, en réalité d'impatience anxieuse, l'occasion de sauter à nouveau sur leur monture, de galoper, de tirer, dans la savane ou dans un *saloon*. Tout en demeurant pour nombre de personnalités l'un de leurs principaux ressorts et le sel de la vie, elle ne les subjugue nullement. De l'autre côté, une anxiété subie, redoutée, malheureuse va envahir l'être, ou au moins se tenir à l'affût des occasions de le dominer. Il n'est pas exceptionnel que les deux tendances forment les deux versants d'une personnalité à pente maniaque-dépressive ; il est plus fréquent que l'une d'elles prédomine, de façon quelquefois exclusive.

L'anxiété signale d'ailleurs son ambivalence par l'activité ou la pseudo-activité dans lesquelles elle se prolonge. Même dans l'anxiété mélancolique, on observe une « agitation stérile » : les malades « changent de place, se lèvent, se couchent, se débattent » (Dide et Guiraud). L'anxiété est souvent fébrile, agitée, loquace. Cette loquacité correspond à l'hyperbolisme des sentiments anxieux. Dans les cas extrêmes : « nous sommes perdus » ; « le pire est à craindre ». Dans les anxiétés plus modérées, l'hypothèse pessimiste s'exprime ou se sous-entend fortement. Mais si c'était constant, on aurait affaire au désespoir, non à l'anxiété. Celle-ci est balancement entre l'alarme et l'espoir, entre le malheur et sa négation. Selon l'excellente formule de J. Favez-Boutonier, « on vit l'angoisse plus qu'on ne la pense, tandis qu'on pense l'anxiété autant qu'on la vit » [15, p. 34]. On peut ajouter que la pensée anxieuse cherche anxieusement un interlocuteur ; elle est prête à s'exprimer dans l'espoir que l'autre la réfutera, argumentera, démontrera. La mère anxieuse exagère encore son anxiété devant le médecin, dans l'attente d'un réconfort. La pensée anxieuse redouble son anxiété en constatant qu'elle est prisonnière d'une alternative : le malade guérira-t-il ? L'étudiant réussira-t-il ? Ce voyage en avion..., cette radiographie..., ce sera oui ou non, sans échappatoire. On vit alternativement deux perspectives opposées, et sans cesse la perspective mauvaise vient prendre le pas sur la perspective favorable, qui pourtant va s'efforcer encore de redire ses raisons. Ambiguïté de l'anxiété, qui n'est peut-être qu'une expression ponctuelle de l'ambiguïté fondamentale de la destinée humaine : être pour la vie et être pour la mort. On comprend que l'anxiété ait inspiré les poètes et les philosophes, même si ceux-ci l'ont souvent confondue avec l'angoisse. Ces remarques soulignent le caractère très conscient de l'anxiété d'objet : Brissaud, décrivant l'anxiété paroxystique (*Semaine médicale*, 1890) opposait son origine cérébrale et psychologique à celle, bulbaire et physique, de l'angoisse.

L'ambivalence de l'anxiété est telle que certains anxieux ne souhaiteraient pas échanger leur anxiété d'objet contre la sérénité. L'anxiété et le désir de changement cohabitent et se répondent dans certains types de caractères — surtout chez les émotifs - peu actifs - primaires (les « nerveux ») de la classification caractérologique. Un changement sans anxiété serait sans valeur ; le changement le plus désiré est parfois celui dont la perspective s'accompagne de la plus grande incertitude. Partir est banal ; mais partir très loin, sans savoir où l'on va, ni pour quoi faire, s'embarquer sur le « Bateau ivre » ou aller « là-bas où les oiseaux sont ivres », c'est appeler à soi la richesse anxiogène du changement. Toute une littérature, toute une dramaturgie, toute une cinématographie de l'anxiété pseudo-angoissée font fureur : elles témoignent de l'intense déséquilibre de l'affectivité contemporaine, avide de découvrir ce qui à la fois la nourrit, l'exalte et l'ébranle.

**L'anxiété adjuvante.** — Certaines anxiétés provisoires semblent bien être *préparantes* et bénéfiques pour l'épreuve prochaine. L'excellente équipe de Chelsea devait affronter Tottenham en un match capital. L'entraîneur déclara : « Avant l'un de nos plus grands matchs, plusieurs de mes joueurs étaient malades. Ils étaient tendus, nerveux. Et c'est ainsi que je veux qu'ils soient demain. Le matin d'un match je préfère les voir malades que souriants » [29, p. 24].

De même certaines anxiétés portent les ressources affectives et les puissances intellectuelles du moi au sommet de leur efficacité. Ces ambivalences de l'anxiété se révèlent dans celle de l'examen ou du concours qui se résout pour certains dans une attitude de vigilance et d'attaque, pour d'autres dans une conduite de fuite, de soumission ou d'abandon. Les sujets adoptent l'attaque ou la démission selon leurs substructures constitutionnelle et infanto-juvénile, comme selon leur état actuel.

**L'anxiété maximale d'objet.** — Lorsque l'anxiété provoquée par des situations dramatiques atteint son paroxyme, elle facilite encore la confusion avec l'angoisse. La gorge sèche, la bouche sans salive, la sudation abondante, les « jambes coupées », le cœur affolé, toutes ces sensations réunies induisent une impression cataclysmique qui, on le comprend bien, est tentée de se désigner comme une angoisse. Il lui manque pourtant les trois traits pathognomoniques de l'angoisse : d'abord la survenance inopinée, inexpliquée et brutale, ensuite le cortège physiopsychologique d'oppression, d'écrasement, de mort menaçante, enfin l'impression de paralysie qui paraît condamner le patient, ne serait-ce qu'une minute durant, à l'immobilité angoissée.

Dans les deux observations suivantes, on reconnaîtra cette allure cataclysmique de l'anxiété maximale en même temps qu'on observera la présence, combien impressionnante, de son objet et l'absence de la paralysie. Ces observations montrent aussi que l'anxiété, maximale ou non, s'accompagne le plus souvent de réflexions psychologiques et morales (auto-accusations, remords, confessions) qui sont tout à fait ignorées des angoissés. (Pour éviter toute confusion nous faisons suivre dans le texte, entre crochets, le mot « angoisse », utilisé par le rédacteur, du mot « anxiété », qui nous paraît plus exact.)

B. J. — « Parler de mon angoisse [anxiété] ? Il faudrait que je parle des heures durant... Cette damnée angoisse [anxiété], je l'ai bien connue. Pêle-mêle : le bouquin fauché dans une librairie (je devais être en terminale et venais de lire dans *Les chemins de la liberté* l'histoire du vol du dictionnaire d'argot), le tremblement et l'angoisse [anxiété maximale] qui s'emparèrent de moi au moment où j'allais le prendre. Je le pris néanmoins et m'en fus chez un camarade boire un verre de cognac. Et puis l'angoisse-panique [id.] qui s'empara de moi — je commençais à enseigner — quand un surveillant vint m'apprendre la visite imminente d'un inspecteur. Angoisse et sexualité : angoisse [id.] devant la masturbation quand j'étais gosse ou, quand j'étais étudiant à Paris, en suivant une prostituée. Après : rites conjuratoires de rigueur : prière, voire confession. Angoisse [anxiété] devant le regard d'autrui, bien sûr, l'autre et les autres m'enfermant dans des conduites tenues pour réelles, et l'angoisse [id.] qui s'emparaît de moi lorsque je passais outre. »

J. G. — « Faut-il nommer angoisse ou anxiété [anxiété, sûrement] ce malaise fébrile que j'ai éprouvé, m'inondant de sueur et de tremblement, lorsque au bac, plié sur la table, je sortais de la poche intérieure de ma veste un papier sur lequel j'avais copié quelques formules ? Je me souviens en tout cas que, voyant aussitôt après un surveillant venir dans ma direction, je me crus perdu : il allait venir, il allait soulever mes papiers, découvrir mon « tuyau » ; j'allais être chassé, déshonoré, perdu. A ce moment-là, mon malaise fut si grand que je faillis m'évanouir. Heureusement, il s'éloigna, indifférent. C'est le cas de le dire : j'avais « eu chaud », très chaud... une émotion extraordinaire qui me laissa tremblant comme une feuille au point que je dus cacher mes mains sous la table pendant cinq ou dix minutes. »

## V. — Sources et effets de la tendance anxieuse. La thérapie

La tendance anxieuse étant définie simplement par une fréquence et une intensité des anxiétés d'objet supérieures à la moyenne des anxiétés dans le même milieu et au même âge, on est frappé par la grande inégalité de cette tendance. On est ainsi conduit à s'interroger sur sa genèse. Une première réponse propose à sa source une émotivité constitutionnelle de niveau élevé. En outre, puisqu'une forte activité engage des réactions positives face aux objets anxiogènes, une moindre activité doit faciliter l'anxiété : on est d'autant plus anxieux qu'on ne dispose pas des ressources énergétiques nécessaires à une réplique active. Enfin l'affectivité anxieuse doit recevoir un nouvel élan de ce que les caractérologues désignent très utilement par la « secondarité » des impressions. Il est normal que les impressions fugaces des « primaires » (elles ne persistent que pendant le *premier* moment) laissent des empreintes anxiogènes bien plus labiles que celles des « secondaires ». Chez ceux-ci au contraire, demeurant présentes ou même s'accentuant pendant un très long *second* moment, les impressions anxiogènes forment, pour celles qui viendront à leur suite, une structure d'accueil qui, à la fois, les renforce et se renforce continuellement. Ici pourrait être invoqué un équivalent moïque de la notion freudienne de « compulsion de répétition », c'est-à-dire de ce processus inconscient qui amène le sujet à répéter une expérience déjà éprouvée et pénible.

Mais, si la disposition constitutionnelle est manifeste chez nombre d'anxieux, une place revient, chez d'autres, à l'expérience vécue. Nous l'avons dit : une mère dont l'enfant subit à longueur d'hiver des rhino-pharyngites prolongées ou des otites, une femme qui n'obtient que des grossesses extra-utérines ou des fausses couches, un patient ballotté d'examen en examen, de diagnostic en diagnostic, de traitement en traitement, ne peuvent guère que devenir anxieux — d'une anxiété d'ailleurs souvent localisée à la catégorie d'événements qui l'a peu à peu instillée en eux.

La liaison psychosomatique est ici assez catégorique pour que la médecine contemporaine reconnaisse dans nombre d'ulcères gastriques ou duodénaux, voire d'éruptions cutanées, des effets de l'état anxieux. Des « stress » anxieux presque continus semblent bien contribuer, par les spasmes désordonnés, les sécrétions aberrantes qu'ils provoquent, à nombre de troubles d'abord fonctionnels, puis parfois lésionnels, de l'appareil digestif. De même des asthmes de l'adulte et surtout de l'enfant : leur guérison souvent radicale par le séjour en altitude ne peut guère être séparée de la novation ainsi apportée, en même temps, dans le contexte psychologique familial. Au demeurant les responsabilités psychosomatiques de l'anxiété sont trop établies (1) pour que nous y insistions.

Au siècle dernier, on imputait au bulbe la responsabilité des états timériques. C'est vers 1920 qu'on l'a rapportée à la région du diencéphale et, plus précisément, de l'hypothalamus dans sa relation avec les sécrétions de l'hypophyse. Celle-ci, « chef d'orchestre endocrinien, commande l'activité de l'hypothalamus, carrefour de la vie psychique et de la vie somatique » (J. Delay). A vrai dire cette explication basique serait sans doute plus indispensable à propos de l'angoisse. Pour l'anxiété d'objet, son niveau conscient et réfléchi paraît souligner le rôle qu'y tient l'écorce cérébrale. C'est particulièrement à l'anxiété d'objet que pourrait s'appliquer l'explication devenue classique : le cortex intervient lorsque nous prenons conscience d'une situation, et c'est par son entremise que sont ébranlés les centres émotionnels de la base du cerveau, de l'hypothalamus et du système limbique. Ils réagissent d'une part sur le cortex en y animant cette prolifération d'idées et d'images qui caractérise l'intelligence aux moments d'anxiété, d'autre part sur les appareils physiologiques les plus divers, des glandes sudoripares aux viscères, de la salivation raréfiée au faux orgasme, du tremblement au dérobement des membres inférieurs. Ces phénomènes physiologiques sont impressionnants. Ils le deviennent beaucoup moins si l'on s'emploie à les délier de leurs correspondants psychiques. Il est d'expérience psychothérapique constante que l'anxiété d'objet peut s'ouvrir, beaucoup plus aisément que les anxiétés du sujet, traitées au chapitre suivant, à une autopsychothérapie.

En effet, nous l'avons dit, l'inconscient n'est pas

(1) Voir P. Chauchard, *La psychosomatique*, Puf, coll. « Que sais-je ? ».

en cause ici : le fond ou les situations anxiogènes sont repérables dans l'anamnèse. L'anxiété de l'objet apparaît et se déroule devant nous, accessible et, sinon maîtrisable, du moins observable. D'origine strictement consciente ou préconsciente, elle ne relève de même que d'une autothérapie consciente. Celle-ci peut évidemment s'installer sur une thérapeutique médicale préalable, qui ne peut être que la condition éventuellement nécessaire, certainement pas suffisante. Leur conjugaison est, le plus généralement, déterminante.

Les anxiétés légères, à peine ressenties par moments en tant qu'anxiétés, sont particulièrement fréquentes, associées ou non à l'angoisse, au cours de l'adolescence et plus encore de la jeunesse. C'est le moment où les jeunes discernent encore difficilement leur avenir, leur être pour la vie. Leur moi s'appréhende confusément comme coincé entre, d'un côté les exigences du surmoi (la famille, les maîtres, l'environnement) et de l'idéal du moi ; d'un second côté le jeune est pressé par les réalités révélées par l'expérience (gênes de la vie en groupe avec ses rivalités, ses vexations, ses conflits, ses comparaisons ; difficultés pour l'avenir : examens et concours, recherche de l'emploi, projets d'union amoureuse, etc.). D'un troisième côté les pulsions de la libido ne connaissent, elles, ni circonstances ni répits. Cet imbroglio de pulsions, d'exigences et d'obstacles sécrète l'insécurité plus ou moins anxieuse qui un jour ou l'autre éclatera — sauf rares exceptions — en accès d'angoisse, épisodiques ou fréquents. C'est cette expérience si nombreuse qui autorisait Freud à dire à ses étudiants : « Je n'ai aucun besoin de vous présenter l'angoisse ; chacun de vous a éprouvé lui-même, ne fût-ce qu'une seule fois dans sa vie, cette sensation ou plutôt cet état affectif. » Mais il ajoutait aussitôt, annonçant une personnologie des angoissés : « On ne s'est jamais demandé assez sérieusement pourquoi ce sont précisément les nerveux qui souffrent de l'angoisse plus souvent et plus intensément que les autres » [2, p. 370]. Nous avons reconnu que, parmi ces « nerveux », d'autres discriminations devaient s'exercer selon les niveaux de l'émotivité, de l'activité, du retentissement et la largeur ou l'étroitesse du champ de conscience affectif [38].

**Valeur positive de certaines anxiétés.** — L'expérience courante reconnaît la valeur positive de certaines anxiétés : il y aurait une relation entre l'anxiété et la performance. Relation complexe, « décrite de manière conventionnelle par la courbe de Yerkes-Dodson. Au début, lorsqu'une certaine appréhension se manifeste, la performance s'améliore » ; celle-ci ayant atteint son optimum, « si l'anxiété continue à augmenter, la performance commence à se détériorer ». Mais cette courbe de Yerkes-Dodson est trop régulière, « elle devrait être composite » : certains phénomènes anxieux, « comme les tremblements, se comportent d'habitude comme des phénomènes de tout ou rien ». Ils sont discontinus. En fait, « la qualité de la performance peut diminuer : 1) lorsque l'anxiété est excessive, 2) lorsqu'elle est insuffisante, c'est-à-dire lorsque la motivation n'est pas assez importante » (1).

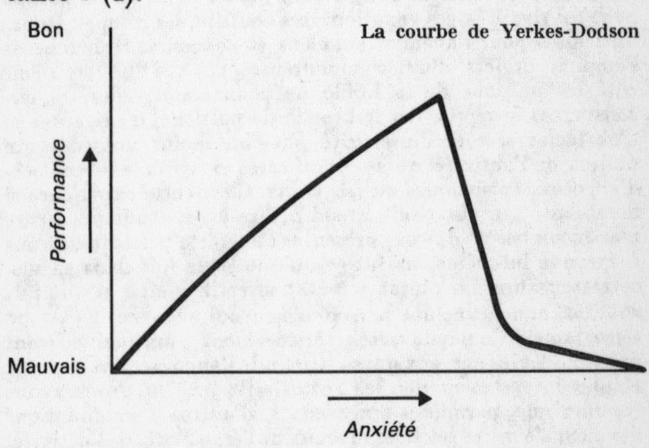

La courbe de Yerkes-Dodson

(1) I. M. JAMES, Les états d'anxiétés, *Psychologie médicale*, 1984, 16, 15, 2555-2564, p. 2557.

## Chapitre III

# L'ANXIÉTÉ PRÉCONSCIENTE FONDAMENTALE

L'anxiété du second type (v. p. 6, 2°) n'est pas autonome : elle est liée aux accès d'angoisse et constitue avec eux, inséparablement, l'angoisse nerveuse ou névrotique (1), un peu comme la diathèse arthritique est liée aux crises de rhumatisme ou aux accès de goutte. L'analogie est grossière. Cependant, de même que les manifestations rhumatismales sont beaucoup plus « voyantes » que le fond arthritique, de même les crises d'angoisse impressionnent fortement le patient, tandis que le fond anxieux — le second type d'anxiété — et sa quasi-pérennité n'apparaissent parfois qu'à une analyse attentive. C'est ce fond anxieux persistant, lit des crises d'angoisse, que nous nommons anxiété fondamentale.

## I. — Témoignages sur l'anxiété fondamentale

L'intensité de ce fond d'anxiété chez certains d'entre nous et les caractères spécifiques que nous

(1) Peut-être pourrait-on la nommer angoisse *nerveuse* lorsque les accès sont modérés et peu fréquents, angoisse *névrotique* lorsqu'ils sont forts et nombreux, constituant alors, avec l'anxiété préconsciente fondamentale dont nous traitons ici, *la névrose d'angoisse*, que Freud a définitivement décrite et baptisée (notre chap. V).

venons d'annoncer lui valent d'avoir été fortement séparé de la banale anxiété d'objet. Nous disposons ici de plusieurs témoignages, souvent poignants, émanant de grands anxieux. Pour souligner la différence de nature entre l'anxiété du premier type et celle-ci, c'est donc Heidegger que nous citerons en premier lieu :

« Par cette [anxiété], nous n'entendons pas l'anxiété très fréquente que comporte une disposition craintive dont il n'est que trop facile de rencontrer des exemples. Le propre de la crainte est que *soit limité* ce *devant quoi* et *pourquoi* elle craint (...) (1).

Kierkegaard (2) tient lui aussi pour fort médiocre l'anxiété attachée à des réalités :

« Qui ne connaît sa coulpe que par la finitude est perdu dans le fini (...). La finitude peut nous apprendre beaucoup, mais de l'[anxiété] elle ne nous fait connaître qu'un bien médiocre côté et dégradant. »

Il sait parfaitement l'opposer à l'autre anxiété, celle qui laboure le psychisme pour l'angoisse :

« Au contraire quand on a fait de celle-ci le vrai apprentissage, on est sûr d'avancer en dansant à l'heure où les angoisses du fini commenceront leur musique et que les apprentis de la finitude perdront tête et courage. »

Heidegger lui aussi n'éprouve que mépris pour l'anxiété ordinaire et indigente, pour cet homme qui « perd la tête » et, « craignant et craintif [anxiété du premier genre], se trouve enchaîné par ce en quoi il se sent ». Au contraire l'anxiété du second

(1) Toutes les citations de HEIDEGGER sont tirées de *Qu'est-ce que la métaphysique ?*, Gallimard, pp. 30-33. Tous les soulignements figurent dans le texte. Ici aussi nous écrivons entre crochets les appellations, substitutives ou complétives qui permettent d'intégrer, sans les fausser, les témoignages dans notre contexte. Nous y sommes autorisé, croyons-nous, par l'intensité de la « crainte » décrite : un tel sujet « perd la tête dans l'ensemble ».

(2) Sauf autre indication les citations de KIERKEGAARD sont prises dans *Le concept de l'angoisse*, trad. franç., Gallimard, 1935.

presque préconsciente, à l'égard de soi, des autres, du monde un sentiment assidu et confus de malaise, d'incertitude. Beaucoup plus générale et confuse (« non liée », dirait-on dans le langage psychanalytique), sans application précise, elle s'exprime par une tendance dépressive, un doute diffus, voire une sorte de dégoût vis-à-vis du travail, de l'environnement, de soi-même. Impression difficilement définissable d'être « mal dans sa peau », de non-convenance globale, capable de se spécifier sur tel aspect particulier de la situation ou telle personne de l'entourage, ce fond anxieux est plus ou moins virulent selon que les accès d'angoisse sont eux-mêmes plus ou moins forts et nombreux. Aussi cette anxiété reste-t-elle mal perçue, non seulement dans ses motifs mais dans son être même, lorsqu'elle est associée à des angoisses mineures. Assez souvent elle n'est alors distinguée par le sujet qu'après coup, lorsqu'il se livre à une anamnèse attentive.

Pour Kierkegaard, « il n'est pas un seul homme que n'habite au fond une inquiétude, un trouble, une désharmonie, une crainte d'on ne sait quoi d'inconnu ou qu'il n'ose même reconnaître, une crainte d'une éventualité extérieure ou une crainte de lui-même » [19, II, début].

Et c'est bien le rapport de cette anxiété-là et de l'accès d'angoisse qui est ainsi parfaitement reconnu :

« Ainsi, comme disent les médecins d'une maladie, *l'homme couve dans l'esprit un mal dont, par éclairs, à de rares fois, une peur inexplicable lui révèle la présence interne* » [*ibid.*].

« Son apparition montre déjà sa préexistence (...), car l'événement même qui le jette au désespoir manifeste aussitôt que toute sa vie passée était du désespoir » (...) ; et *jamais l'innocence n'a si peur que quand son angoisse manque d'objet* [*ibid.*].

Nouveau et singulier mérite de la description kierkegaardienne, voici, après l'état d'anxiété qui prépare l'accès d'angoisse, l'état d'anxiété *qui le suit* et l'achève en le dissolvant. Cette crise et sa violence viennent de l'enrichir comme une éruption : lorsque le flot brûlant de l'angoisse s'éloigne, il laisse comme une lave brillante aux figures inconnues, une nouvelle anxiété, inquisitoriale et exaltante. Lorsque Kierkegaard écrit : « l'angoisse ne se retire plus », il ne vise plus là l'insupportable broiement de l'accès, mais l'état qui le suit. L'angoissé en goûte alors, mieux que le souvenir, l'impression encore frissonnante mais apaisée : ce n'est plus que « la douce angoisse ». Loin qu'il cherche à l'éloigner, « ... alors l'angoisse lui entre dans l'âme, y scrute partout, en chasse par ses tourments les finitudes et la petitesse pour le mener où il veut ».

Plusieurs de nos sujets (12 %) paraissent avoir éprouvé des impressions analogues dans la post-angoisse. Analogie assez floue dans les témoignages qu'ils en donnaient ; mais ceux-ci s'accordent pour déclarer un sentiment de paix heureuse (5 %), ou un sentiment de « richesse intérieure », d' « enrichissement intime » (6 %), voire d'exaltation affective (1 %). Il est difficile de ne pas rapprocher de certaines exaltations mystiques, si fréquemment associées à des accès d'angoisse, ces effervescences de l'état de post-angoisse, cette nouvelle anxiété consécutive, de nuance attentiste et quêteuse, que le reste de notre groupe (88 %) déclare ignorer.

Kierkegaard préfigure même une psychologie nécessairement différentielle de l'angoisse et de l'anxiété en distinguant les trois directions où peut s'engager l'anxiété consécutive à l'accès : ce sont la puissance quêteuse qu'il vient de décrire et deux désespoirs ; le premier va se perdre dans l'infini de la désolation, l'autre dans le divertissement :

« A côté du désespoir qui s'enfonce à l'aveugle dans l'infini jusqu'à la perte du moi, il en est un d'une autre sorte qui se laisse frustrer de son moi par « autrui ». A voir tant de foules autour de lui, à se mettre sur les bras tant d'affaires humaines (...), ce désespéré-ci trouve bien plus simple et sûr de ressembler aux autres, d'être une singerie, un numéro, confondu dans le troupeau » [19, pp. 90-91].

L'homme du divertissement, l'anxiété le conduit jusqu'à « ne point vouloir être soi, à souhaiter devenir un autre », à s'étourdir jusqu'à s'oublier. Sur le même versant encore, une conscience pourtant plus sage recherche « quelque réflexion sur soi » ; alors l'anxiété engendre « le désespoir-faiblesse, souffrance passive du moi ». Enfin, sur l'autre versant, le versant du « déréel », l'anxieux extrême enferme son désespoir dans son hermétisme, dans sa taciturnité, au risque d'aller au suicide. Seule la rencontre peut l'en sauver : « Qu'il parle à quelqu'un, qu'il s'ouvre à un seul, et c'est alors en lui une telle détente, un tel apaisement (...) que la tentation suicidaire est écartée » [19, *passim*].

Des témoins moins exceptionnels, et qui vivent la vie actuelle, nous ont fourni, de la petite anxiété la plus banale à la plus sévère, une gamme à peu près complète de rapports, que nous ne pouvons citer ici. Ces états ne se réfèrent pas à tel ou tel événement (un voyage, une maladie, etc.), mais parfois fixent seulement sur une « manie », sur un geste stéréotypé l'anxiété sans objet qui fait route avec l'angoisse névrotique en lui ouvrant la voie. La source de l'anxiété paraît se situer ici dans la région préconsciente où le moi s'imbrique dans le « ça ». Tel est le cas en particulier pour l'anxiété perfectionniste. Elle n'est pas vraiment insérée dans l'inconscient : le perfectionniste connaît sa tendance et la petite anxiété qui s'y attache. Elle a très probablement été placée à la jointure confuse du conscient et du préconscient par une éducation vétilleuse, soupçonneuse, ayant engendré des sentiments de peine devant la crainte d'un abandon affectif et de joie durant les périodes plus aimantes, leur alternance créant l'insécurité, tandis que l'exigence malsaine produisait l'anxiété perfectionniste.

## III. — Diversité personnelle des anxiétés préconscientes fondamentales. La thérapie

On pourrait d'ailleurs dire qu'il n'est pas deux manières identiques d'éprouver cette anxiété. Si la différenciation des formes de l'anxiété demeure l'un des mérites de la psychologie freudienne, la personnalisation de l'anxiété n'a pas été tentée. Elle mérite d'être ici ébauchée.

Tandis que l'angoisse nerveuse ou névrotique est — sauf pour l'intensité de ses accès — un phénomène psychologique de présentation et de signification univoques, au contraire l'anxiété qui lui est conjointe épouse, pour sa quantité et sa qualité, la personnalité dans laquelle elle se développe (1). Rappelons avec Freud que le « caractère latent » voit s'inscrire en lui les stades successifs de l'évolution libidinale de l'enfant. Dès le début s'exercent sur la substructure constitutionnelle les investissements proposés par le style de vie parental et par ses rapports avec l'enfant. Ainsi s'installe une seconde substructure, affective-infantile. Il arrive que la première substructure soit, dès la prime enfance, assez fortement structurée pour résister aux influences parentales malfaisantes et, plus tard, aux actions socio-éducatives délétères. Mais il arrive aussi qu'un style parental d'existence faussé ou perturbé rencontre une substructure génique moins organisée, plus labile (2). Alors le partage de l'énergie instinctuelle s'accomplit trop au profit d'une libido narcissique bientôt grossie des déceptions de la libido tournée vers l'extérieur. Celle-ci, devant les refus et les frustrations, se lasse vite et réfugie dans l'amour, la protection et la clôture du moi cette part d'activité qu'elle aurait dû déployer vis-à-vis des autres et du monde.

La dialectique du moi et du monde, qui est normalement l'un des facteurs de l'élaboration du moi, se perturbe et tend ainsi principalement au monologue inquiet du moi. Enfermant sur lui-même la plus grande part de son désir et de son désir

(1) Nous signalons plus loin la constatation, très significative à cet égard, de R. Spitz (v. p. 63).

(2) D. Lagache écrivait : « Tantôt le poids des facteurs biologiques est tel que des obstacles extérieurs légers sont suffisants pour troubler le développement ; tantôt le fond biologique est tellement bon que l'être humain se tire des pires situations » (*La psychanalyse*, PUF, coll. « Que sais-je ? », p. 59).

de vivre, le narcissique introverti et égotiste conçoit de façon nécessairement anxieuse le rapport de ce moi surinvesti et d'un monde sous-investi, inquiétant par conséquent dans sa quasi-inertie et sa quasi-opacité.

Cette anxiété introvertie, pessimiste ou désabusée, accompagne l'intérêt hyperbolique à soi dans la conduite concrète de la vie. Anxiété narcissique, elle est deux fois source de trouble : elle constitue le moi en un objet privilégié et exigeant ; et, faute d'avoir reçu son attention et son intérêt, les objets deviennent anxiogènes. L'amélioration fondamentale ne peut tenir que dans une psychothérapie s'ouvrant sur une autothérapie. Une autorité extérieure à l'entourage — un thérapeute jusque-là inconnu — s'efforce de rassurer d'abord la personnalité anxieuse sur ses troubles physiques et psychologiques. En désinvestissant par exemple l'activité sexuelle de la charge d'anxiété qui en faisait une obsession pessimiste, il est possible d'écarter un certain nombre de pseudo-impuissances ou de pseudo-frigidités. La psychothérapie peut rompre le cercle par lequel l'anxiété sexuelle renforçait l'anxiété globale, tandis que l'anxiété globale venait s'investir avec ses méfaits dans une anxiété sexuelle encore plus paralysante. A ce propos une notation fréquente chez Freud évoque l'effroi que provoquerait « chez tous les hommes » la vue de l'organe génital féminin. Cette « stupeur » serait liée à « la terreur de la castration », tandis que « l'élection si fréquente de pièces de lingerie comme fétiches (serait) due à ce que jusqu'à ce dernier moment du déshabillage, on a pu penser encore que la femme porte un phallus » [5, p. 136]. Le désarroi redouté devant l'organe féminin nourrirait cet espoir inconscient de découvrir un phallus féminin. Plus de manque, plus d'effroi ! Malgré Freud, on peut faire quelque crédit ici à ceux « qui peuvent penser que l'effroi devant l'organe génital de la femme dérive (...) du souvenir hypothétique du traumatisme de la naissance ». Dans la perspective psychanalytique elle-même cette anxiété (qui conduit nombre d'hommes à rechercher, dans l'activité sexuelle normale, le contact manuel et phallique de l'organe féminin tout en évitant d'abord sa vue directe) ne peut-elle pas être reliée à la double fonction de la zone génitale féminine, sexuelle et maternelle ? L'homme doit rechercher son plaisir dans la zone même où sa mère lui a donné le jour. Bien des anxiétés sexuelles de l'homme paraissent s'expliquer par cette coïncidence, si puissamment investie, à la limite préconsciente du conscient et de l'inconscient.

Ceci mis à part, les témoignages s'accordent assez bien avec les analyses freudiennes. Mais Freud et les psychanalystes, tout en séparant fortement dans l'angoisse le fond d'anxiété et la crise d'angoisse proprement dite, proposent évidemment pour les deux phénomènes l'explication unifiée qu'appelle leur unité clinique. C'est donc à la fin du chapitre suivant, lorsque nous aurons rencontré l'*accès* d'angoisse névrotique, que nous serons éclairés sur les sources de l'entité « anxiété névrotique - angoisse névrotique ».

# TROISIÈME PARTIE

# *LES ANGOISSES*

## CHAPITRE IV

## DE LA PEUR
## A L'ANGOISSE RÉACTIONNELLE

Si l'anxiété est un état diffus d'inquiétude, avec de fréquents accès plus ou moins marqués qui correspondent à des focalisations de l'inquiétude dans le temps et dans l'espace, la peur apparaît comme le cas particulier, à vrai dire fort vaste, où la situation menaçante est là, présente, définie, ou du moins globalement perceptible. La direction d'ensemble de la peur, sa signification sont intuitivement ou explicitement prévues. Freud est très clair : « l'angoisse (...) a pour caractères inhérents l'*indétermination* et l'*absence d'objet* ; dans l'usage correct de la langue son nom lui-même change lorsqu'elle a trouvé un objet : il est remplacé par celui de *peur* » [4, p. 94].

### I. — De la peur à l'effroi et à l'angoisse « réelle »

Le rapport à l'objet paraissant fort simple, on serait tenté de tourner rapidement la page. Cependant il importe d'abord de bien distinguer *la peur, avec son objet présent, de l'anxiété, dont l'objet est simplement pressenti et redouté* : j'ai peur d'un sanglier qui fonce dans ma direction ; je suis anxieux du déroulement d'un voyage, du résultat d'une biopsie ou d'une radiographie. La peur n'est donc qu'un autre nom pour une inquiétude directement fondée. Si la peur est très intense, c'est l'*effroi*. Mais l'effroi ne suppose-t-il pas des expériences antérieures qui en auraient fait le lit ? L'idée est aussi ancienne que la psychanalyse. Dès les *Etudes sur l'hystérie* de 1895, Freud et Breuer appellent l'attention sur les antécédents de la peur-effroi : un certain « affect diffus d'angoisse » (nous dirions : d'anxiété) a mis en place le dispositif de l'effroi pour les expériences ultérieures. De même que les affects répétés de la rêverie facilitent pour la suite l'état hypnoïde, de même la peur fraie la route à l'effroi, qui éventuellement laisse sa trace, s'il se répète, sous la forme d'une « névrose traumatique ». Mais cette appellation couvre deux réalités cliniques bien différentes. Une première « névrose traumatique » — que l'on pourrait désigner, pour être clair, comme *névrose traumatique primaire* — est sans intérêt : c'est la névrose d'accident, celle qui atteint les victimes ou les témoins d'un accident de chemin de fer, d'un bombardement, d'un violent séisme. L'effroi intervient là directement : il paralyse les défenses et bouleverse plus ou moins durablement le moi. L'autre « névrose traumatique » est beaucoup plus significative. Ici le traumatisme n'est pas externe ; venu de l'intérieur, il ébranle les couches profondes du moi. Le danger n'est plus un danger extérieur, mais un péril personnel et inconnu.

Cette névrose-ci (on pourrait la nommer *névrose traumatique secondaire*) n'attendait, latente, que l'événement qui la révélerait. Nous aurons à retenir l'explication freudienne — ce sera la théorie de « l'après-coup ». Mais ici nous n'avons affaire encore qu'à l'angoisse liée à la peur ou, surtout, à cet « effroi » qui « survient quand on tombe dans une situation dangereuse sans y être préparé » (Freud). L'effroi peut ainsi produire des états d'angoisse. Mais il importe beaucoup, contrairement à ce qu'écrit Freud, de bien distinguer cette angoisse qui accompagne l'effroi et qui répond à une situation effrayante actuellement présente, de l'angoisse nerveuse ou névrotique qui n'a pas le moindre objet et saisit le patient sans qu'il comprenne ce qui lui arrive.

Devant l'angoisse qui réagit à un danger vrai (angoisse réelle), tous les hommes sont-ils dans la même situation ? Tous l'éprouvent-ils également ? Et, si c'est non, pourquoi ? Et pourquoi le choc provoque-t-il chez certains des troubles persistants, ceux de la « névrose traumatique secondaire » ? Freud le remarque : « Les dangers sont communs à tous les hommes, les mêmes pour tous les individus. Ce dont nous avons besoin, c'est d'un facteur qui nous fasse comprendre pourquoi tels individus sont capables de soumettre l'affect d'angoisse [réelle] au fonctionnement psychique normal [qui le réduira peu à peu, jusqu'à l'annuler] ou qui (au contraire) échouera nécessairement dans cette tâche » [Freud, 4, p. 77].

## II. — L'angoisse réactionnelle et le « traumatisme de la naissance »

**1. Le « traumatisme de la naissance », première angoisse réactionnelle.** — Ayant écarté l'explication simpliste d'Adler par le complexe d'infériorité, Freud s'intéresse à celle d'Otto Rank et à sa théorie du

« traumatisme de la naissance » [14]. « Le processus de la naissance est la première situation de danger. » Il est double : difficulté du passage utérin, mais surtout séparation de la mère, non seulement comme rupture de l'attache biologique, mais particulièrement comme « perte directe de l'objet » (on sait que, dans le langage psychanalytique, « l'objet » (d'amour) c'est d'abord la mère). Mais Freud [4, pp. 78-80] ne peut « adhérer plus longtemps à cette manière de concevoir la naissance comme traumatisme, l'état d'angoisse comme réaction de décharge consécutive au tramautisme ». Tout en récusant Rank — il n'a jamais aimé être devancé — il accepte que « l'angoisse éprouvée lors de la naissance devienne *le prototype du danger*, le prototype d'un état d'affect qui devait partager le destin d'autres affects » [4, p. 90]. Ainsi, thèse dernière et capitale de Freud — que nous prendrons soin de ne pas écarter sous le prétexte de sa simplicité, excessive aux yeux de certains psychanalystes —, la naissance dépose en tout individu une impression d'angoisse provoquée par la séparation de la mère, séparation à la fois biologique et psychique, « au sens d'une perte directe de l'objet ». A quoi nous joindrons, sur le plan biologique, le brutal passage à la respiration et, sur le plan psychique, la perte non moins brutale de la totale tranquillité du fœtus dans le sein maternel — ce « Paradis perdu ». Il y a là deux instances distinctes : d'un côté le trauma issu du difficile passage terminal, de l'autre le trauma, plus directement psychique, provoqué par la séparation violente d'avec la paix et le bonheur du ventre maternel. On peut récuser le premier et accepter le second, ou — c'est notre hypothèse — les recevoir tous deux, sur des plans différents, mais d'efficacité conjointe.

*A la source de l'angoisse : le réel ou la pulsion ?* — Problème majeur, psychologique et philosophique, que J. Laplanche pose clairement [47, pp. 99-103] :

« Grande controverse » (Freud), grand débat entre ce que Freud nomme *Realangst* (angoisse devant le réel), « angoisse de réel », et *Triebangst*, « angoisse de pulsion ». C'est-à-dire : qu'est-ce qui est premier ? Est-ce une « angoisse de réel », c'est-à-dire une peur adaptée à un danger réel ? Ou bien est-ce une (angoisse) en réaction à l'attaque pulsionnelle interne, c'est-à-dire une angoisse de pulsion (...), qui n'est pas *secondaire* à un danger ?

Freud donne la priorité à celle-ci (1). L'angoisse de l'adulte serait alors comme une conséquence vécue de son imperfection, de son impuissance, à prévoir certains dangers, du besoin d'aide *(Hilflosigkeit)* qui le caractérise depuis la petite enfance : « Il court sur un muret au bord d'un précipice, il joue avec les couteaux, il s'approche du feu, il n'a aucune notion du danger » [Laplanche, *ibid.*, p. 98]. L'angoisse intervient lorsque l'inconscient éprouve, devant « l'attaque du danger », son dénuement face à ce péril, sa béance intérieure.

En état d'*hilflosigkeit*, hors d'haleine, il cherche de l'air et de l'aide. Si l'angoisse était une « angoisse du réel », elle se dissiperait et s'éviterait aisément. Si elle est comme une terreur de l'inconscient, on conçoit que la conscience soit, devant elle, aussi désemparée qu'un chien devant une vipère.

(1) *Vue d'ensemble des névroses de transfert*, trad. franç., Gallimard, 1986, p. 34. C'est notamment dans ce texte que Freud rapporte l'intériorité et l'antériorité de l'angoisse aux « privations provoquées par l'irruption de la période glaciaire : l'humanité est (alors) devenue universellement *anxieuse* » [p. 34]. Cette hypothèse phylogénétique, qui implique une transmission constitutionnelle de l'anxiété depuis l'époque glaciaire, est évidemment un « fondement arbitraire » (Laplanche) de l'anxiété et de l'angoisse. Il *laisse toute sa valeur* à l'explication pulsionnelle, plutôt qu'à l'explication « réaliste ».

2. **Préparation et non-préparation au danger.** — Dans *Au-delà du principe de plaisir* (1920) Freud réitère sa théorie : « Nous appelons *traumatiques* les excitations externes assez fortes pour faire effraction dans le pare-excitations. » Celui-ci constitue comme une forte pellicule ; elle a charge d'arrêter les excitations perturbatrices. Si le traumatisme externe est assez fort pour enfoncer ou percer cette paroi protectrice, « l'appareil psychique est submergé » par les excitations. Dans cette « névrose traumatique », l'énergie qu'elles dégagent est *non liée*, puisque le moi n'avait rien préparé pour l'organiser, la sérier. Le moi n'est pas sur ses gardes, il ne dispose pas de la force nécessaire, il est sans ressort, un peu comme un soldat endormi surpris par l'ennemi, le sac d'un côté, le fusil de l'autre. Il laisse passer l'ennemi. « Les conséquences de l'effraction du pare-excitations se produisent (alors) d'autant plus facilement : c'est l'effroi. » Il ne se serait pas produit si l'angoisse réactionnelle avait pu jouer, avec ses systèmes récepteurs, son rôle de dernière ligne de défense un peu préparée. Pour l'issue d'un grand nombre de traumatismes, le facteur décisif serait « la différence entre systèmes non préparés et systèmes préparés par surinvestissement » [*ibid.*].

Cette remarque n'est pas théorique : une patrouille avance avec angoisse — non avec effroi — dans la nuit ; dès que des coups de feu retentissent, elle riposte ou s'éloigne ; l'angoisse a disparu. L'angoisse réelle avait répondu tant bien que mal au danger total et inconnu, à l'incapacité de savoir et d'agir. Les coups de feu ont situé le péril et engagé les soldats dans une riposte ; ils peuvent avoir peur, ils ne sont plus angoissés.

L'incapacité d'agir, l'impuissance à agir sont une autre source de l'angoisse. Le fait accompli entraîne toujours la sédation de l'angoisse, aussi terrible que soit le fait. La sirène annonçant les avions de bombardement semait l'angoisse ; les immeubles détruits, les cadavres qu'on emportait, provoquaient du chagrin et de la désolation, non plus l'angoisse réelle qui avait accueilli les sirènes, puis le bombardement. Dans les années de guerre, le « système préparé par surinvestissement » dont parle Freud avait eu le temps de se mettre en place : on savait par la presse, les radios, le ouï-dire, les « expériences antérieures », ce qu'était un bombardement. Cette préparation n'empêchait pas l'angoisse réelle ; mais celle-ci, préparée, n'allait pas jusqu'au traumatisme.

Dans plusieurs textes Freud signale que dans l'effroi (cataclysme, etc.) le sujet est protégé de la névrose traumatique éventuellement consécutive, non seulement quand il a été en quelque sorte « vacciné » par une angoisse réelle préalable (elle a mis en place une ligne de défense), mais encore quand l'effroi a été accompagné d'une atteinte physique : « Si le sujet subit en même temps une lésion ou une blessure, ceci s'oppose en général à la survenue de la névrose » *(Au-delà du principe de plaisir)*. Un tel paradoxe s'éclaire par rapprochement avec le rôle psychiquement protecteur de la maladie organique : « Le malade rassemble ses investissements de libido sur son moi pour les émettre à nouveau après la guérison (...). L'égoïsme bien connu du malade, si nous trouvons qu'il va de soi, c'est que nous sommes certains de nous conduire exactement ainsi dans la même situation. »

L'expérience psychologique du temps de guerre (centres de premiers soins, hôpitaux de campagne) confirme ce point : le trouble névrotique est peu compatible avec la blessure physique. Celle-ci fixe sur le moi, sur sa souffrance et sur ses chances de survie presque toute la libido, presque toute l'énergie vitale.

Non préparée, survenant en période de paix, par une soirée tranquille, une catastrophe n'eût trouvé devant elle aucune préparation, aucun schème perceptif et affectif pour l'accueillir. Elle eût alors engendré une seconde forme de l'angoisse réactionnelle : « l'angoisse automatique », très voisine, cette fois, de l'effroi. Aucune autre voie n'était disponible pour décharger cette énergie accablante. L'angoisse réelle eût été préparante, et par là protectrice ; elle n'est pas névrotisante. Freud l'écrit expressément : « Je ne crois pas que l'angoisse réelle puisse engendrer une névrose traumatique. » Au contraire, elle est susceptible d'écarter l'effroi du trauma, qui, lui, faute de préparation, peut engendrer la névrose — la « névrose traumatique » précisément, avec son angoisse, qui est une angoisse de l'inconscient.

3. **L'angoisse « automatique ».** — Lorsque, dans *Au-delà du principe de plaisir*, Freud parle de l' « angoisse » névrotisante, il a donc en vue non pas du tout l'angoisse réelle et ses péripéties, mais une deuxième forme d'angoisse, l' « angoisse automatique », névrotisante en effet. Freud avance ainsi sa théorie des « séries complémentaires », ou encore de l' « *après-coup* ». Selon l'ingénieuse rédaction de J. Laplanche, elle « peut, dans son paradoxe, s'énoncer ainsi : *il faut toujours au moins deux traumatismes pour faire un traumatisme* ; un traumatisme se joue toujours dans la relation dialectique entre deux événements » [12, p. 618]. Ceci, simplifié, signifie qu'un premier événement traumatisant a pu être enregistré, notamment au cours de l'enfance, sans qu'apparaisse alors sa véritable portée. Par exemple un enfant a pu être le témoin d'une scène sexuelle sans paraître en avoir été particulièrement frappé. Mais si, après la puberté, un autre choc sexuel intervient, par exemple la vue de la « scène primitive » (l'union sexuelle des parents), alors le premier souvenir, refoulé, « devient traumatisme, mais seulement *après-coup* ». Notamment, la conjonction des deux impressions pourra provoquer une angoisse

que la première avait ignorée. Cette angoisse se découvrira surtout dans les névroses phobiques que nous rencontrerons au chapitre VI.

Pour cette seconde forme de l'angoisse réactionnelle, celle qui s'installe dans l'inconscient, on ne saurait donc exagérer l'importance de la notion de *préparation* pour l'angoisse réelle ou l'angoisse-signal, et de *non-préparation* pour l'angoisse automatique. Dans l'hystérie, l'impréparation du sujet sera aussi à la source : « La sexualité survient chez le sujet *comme* de l'extérieur, à un âge où sa maturation psychobiologique ne lui permet pas de l'accueillir ». Maturation psychobiologique, cela veut dire à la fois qu'il « n'a pas le répondant biologique nécessaire par rapport aux événements sexuels qui lui parviennent » et que, psychiquement, « il n'a pas non plus le répondant signifiant nécessaire pour intégrer justement ces événements » » [*ibid.*].

Le traumatisme, quel qu'il soit objectivement, ne reçoit sa spécificité quantitative et qualitative — sa « valeur d'angoisse » pourrait-on dire — que selon le sujet et son état actuel. Que des troubles corporels viennent dissiper les dispositions amoureuses les plus intenses et leur substituer brusquement une indifférence complète, c'est un thème qui a été exploité comme il convient dans la comédie » [5, pp. 88-89]. Nous l'avons vu (p. 51), la blessure ou la maladie provoque le détachement presque complet de la libido à l'égard de l' « objet » (1). Celle-ci se rassemble peureusement sur le moi menacé. Ainsi elle le renforce et le protège à la fois, en diminuant très largement sa surface vulnérable. Tel est, « dans notre appareil psychique le moyen privilégié auquel est confiée la tâche de maîtriser des excitations qui, sans cela, seraient péniblement ressenties ou auraient une action pathogène » [*ibid.*]. On a ainsi rejoint le principe de la théorie de la libido : l'énergie

(1) Dans le langage psychanalytique, l' « objet » est « ce en quoi ou par quoi la pulsion peut atteindre son but », écrit Freud, qui ajoute ailleurs : « Appelons « objet sexuel » la personne qui exerce l'attirance sexuelle, et « but sexuel » l'action à laquelle pousse la pulsion. »

psychique ainsi dénommée se partage, selon les évolutions de l'enfance, préférentiellement *soit en libido d'objet* (c'est-à-dire en désir dirigé vers un autre être), *soit en libido du moi* (ou *libido narcissique* : comme Narcisse, le sujet s'aime, s'admire ou se protège lui-même). C'est ce second versant que nous privilégions lorsque nous sommes malades physiquement. En temps normal, et pour des sujets normaux, le partage — bien que toujours assez fragile — tend vers l'équilibre.

Saisissons l'occasion de remarquer que le processus de l'amour est naturellement inverse : expansion de la libido au profit d'un objet extérieur et aux dépens du moi, qui se vide plus ou moins de sa substance libidinale en portant sur l'objet de l'amour tous ses intérêts, jusqu'à en perdre — dans l'amour-passion — « le boire et le manger », dit la remarque populaire. Au contraire, l'angoisse traumatique fait partie d'un processus de rétraction et de renforcement du moi, chargé de protéger celui-ci devant l'effroi névrotisant. Il sera encore plus vrai de l'angoisse névrotique que l'angoisse fait obstacle à l'expression de l'amour, expansion chaleureuse du moi qui va presque à se dissoudre dans son objet ou du moins à en éprouver vivement l'impression. Cette inhibition des conduites amoureuses dans l'angoisse névrotique ne serait pas explicable si, malgré la nette séparation établie par Freud — et que nous avons louée (v. p. 12) — entre l'angoisse névrotique comme non psychique et l'angoisse de l'inconscient, tout entière psychique, la première n'appelait une certaine résonance désordonnée dans les couches du moi voisines de l'inconscient, ceci du moins chez plusieurs sujets. Mais, ici aussi, l'explication psychanalytique doit être différentielle : il est des sujets — les peu émotifs — qui ne disposent pas d'un « capital fantasmatique suffisant pour « faire les frais » psychiques d'une névrose » (Freud).

Freud fait juste reproche aux observateurs de parler de l'angoisse réelle comme si elle était identique pour tous, en qualité et en quantité : « On ne s'est jamais demandé assez sérieusement pourquoi ce sont les nerveux qui souffrent de l'angoisse plus souvent et plus intensément que les autres. » La différence sera beaucoup plus forte en ce qui concernera les autres genres d'angoisse ; elle est déjà évidente ici. La distance d'information est un autre élément de différenciation personnelle : les soldats de Pompée furent effrayés jusqu'à la panique par l'éclipse qui coïncida avec la bataille de Pharsale ; les marins et les soldats du débarquement l'eussent connue d'avance, et n'en eussent pas été effrayés.

Sans qu'il soit question de « complexe » ni d'organisation

psychique, l'aspect tragique et paralysant de l'angoisse réelle, ne serait-il pas, à l'occasion du danger, une remontée au moi des bulles opaques d'impressions ensevelies, diffuses, propres évidemment à chacun selon sa vie passée et principalement sa vie puérile ? Elles se joindraient rapidement à l'angoisse immédiate pour y contribuer à cette sorte de sidération terrorisée, inanalysable à force d'illisible confusion.

A vrai dire la théorie freudienne *paraît* ici extrêmement compliquée, voire contradictoire. D'un côté on nous dit que le traumatisme névrotisant est évité s'il a été en quelque sorte prévu au moyen de l'angoisse réactionnelle — mais, d'un autre côté, malgré cette répétition ou à cause d'elle (c'est la théorie des « séries complémentaires »), c'est un mode de défense catastrophique qui va s'installer. La vérité paraît être que l'évolution se joue par la jonction de deux scènes : un premier trauma a eu lieu *avant la puberté*, le second *après* ; et c'est peut-être la relation dialectique inconsciente entre les deux événements qui, après le second, provoquera la « prise d'effroi », génératrice et témoin de l'angoisse traumatique névrotisante.

## Chapitre V

# L'ANGOISSE NÉVROTIQUE (OU « NÉVROSE D'ANGOISSE »)

Rappelons d'abord avec F. Dolto (1) qu' « il n'y a rien de péjoratif dans le qualificatif de « névrosé » et qu'il faut dédramatiser le terme de « névrose ». La résonance inquiétante du suffixe... *ose* (psychose, tuberculose, ankylose, etc.) s'exerce ici de façon particulièrement regrettable. « Névrose ne signifie rien d'autre qu'*un état particulier de la sensibilité personnelle, provoqué par la prévalence ou l'invalence de telle ou telle fonction d'adaptation à la vie en société, entraînant un manque d'harmonie entre l'attitude sociale et l'impression intime.* » De surcroît, parmi les névroses, nous voici enfin face à l'angoisse névrotique (ou « névrose d'angoisse »), l'une des plus nombreuses et, pensons-nous, l'une des plus maîtrisables à partir du moment où l'on en a compris la nature, le mécanisme, la signification.

## I. — La crise d'angoisse névrotique

« Le terme d'angoisse, écrit Freud, désigne un état caractérisé par l'attente d'un danger et la préparation à ce danger, même s'il est inconnu. » A vrai dire il convient, dans une analyse directe de

(1) *Psychanalyse et pédiatrie*, Seuil, 1971, p. 166.

naturellement favoriser la fréquence des accès. Mais, chez quelques-uns d'entre les angoissés, une autre réflexion, très seconde, intervient lorsqu'ils se remémorent et rassemblent leurs crises.

Aux esprits de disposition philosophique ou mystique, il semble impossible que ces accès ne comportent pas une signification qui les dépasse et, surtout, les justifie. Inséparablement physiologique et psychologique, inséparablement étreinte physique et douleur morale, l'angoisse pose là son problème fondamental : sa signification psychologique ou philosophique, personnelle ou humaine lui est-elle essentielle ? Est-elle sa source ou son produit ? L'angoissé est-il victime de son corps ou témoin de son âme ? Cet étau, est-ce l'étau de sa névrose, ou l'étau de la misère humaine, éprouvé dans une expérience privilégiée ? Pour le philosophe angoissé cette expérience est trop extraordinaire pour qu'il n'en fasse pas une référence majeure. Cette impression de soumission somatique, il s'efforce de la relever d'une telle dépendance. Il n'est alors que de l'exalter jusqu'à son sens mystique ou métaphysique : c'est — nous l'avons vu (p. 39) — dans son *Traité du désespoir* que Kierkegaard a placé son interprétation, plus encore que dans le *Concept de l'angoisse*, Heidegger dans *Qu'est-ce que la métaphysique ?* et Sartre dans *L'Etre et le Néant*.

## II. — L'angoisse névrotique chez le jeune enfant

1. **Une angoisse prénatale ?** — Dans la mesure où l'accent a été mis sur les deux traumatismes de la naissance (v. pp. 47-48), on a supposé que l'état prénatal ne se définissait que par référence à l'état postnatal : insignifiant ou, si l'on adopte la vision poétique, paradis perdu. Mais si, comme l'a montré Tomatis, le fœtus possède une écoute intra-utérine, qui discerne, outre « le bruit de cascade, animé de cliquetis de toutes sortes » produit par le bain amniotique, les caractéristiques de la voix maternelle, il ne serait pas déraisonnable de penser que le séjour utérin n'est pas sans pouvoir éventuellement fragilisant ou roborisant. Kierkegaard a eu

à cet égard une intuition intéressante : « C'est dans l'instant de la conception que l'esprit est au plus loin, et par suite l'angoisse au plus fort. Dans cette angoisse-là se crée *l'individu nouveau.* Une seconde fois, à l'instant de la naissance, l'angoisse culmine chez la femme et c'est à ce moment que l'individu nouveau vient au monde. *L'anxiété* même de la femme en couches est un fait bien connu » [18, p. 106].

2. **L'angoisse de la naissance.** — Après la petite enfance Freud ne pouvait, dans le même mouvement, qu'interroger la naissance. Jusqu'à lui, nul n'avait soupçonné qu'elle pût tenir un rôle psychologique. Dès l'*Introduction...* (1916) [2, p. 373], donc bien avant le *Traumatisme de la naissance* de Rank [14], Freud avait reconnu la naissance « comme prototype et comme cause de toutes les situations ultérieures d'angoisse ». Cependant les avatars du transit utérin, le choc respiratoire, le passage de la tiédeur maternelle au froid de la nudité ne représentent que des traumas d'importance secondaire. Une analyse surprenante, mais accordée à l'ensemble de théorie de l'angoisse, situe le traumatisme essentiel dans la débauche d'excitation et d'énergie inadaptées au nouvel état qui s'épand dans tout l'organisme pour y provoquer une véritable auto-intoxication produisant des réactions désordonnées et catastrophiques — celles que rééditera l'angoisse infantile ou l'angoisse névrotique (1). Si l'on retire à cette explication sa surcharge organique et simplifiante, on retient l'idée que, dès la naissance, l'être humain est inondé d'une énergie qu'il doit maîtriser soit,

(1) « C'est l'augmentation énorme de l'excitation consécutive à l'interruption du renouvellement du sang (respiration interne) qui fut alors la cause de la sensation d'angoisse : la première angoisse fut donc de nature toxique » [2, p. 374].

au moment de la naissance, en s'adaptant rapidement à des conditions de vie inédites, soit, au cours de l'existence, en la liant à des objets convoités ou aimés. Dans la négative, une énergie inadaptée et errante provoquerait les éruptions de la crise d'angoisse.

Si Freud n'abandonne jamais l'idée du traumatisme de la naissance, c'est après avoir médité les hypothèses de Rank [14] qu'il arrête en même temps sa théorie générale de l'angoisse, que nous retrouverons, et sa position définitive sur le rôle du traumatisme de la naissance dans la genèse de l'angoisse. Il néglige ou ruine nombre des thèses de Rank — en remarquant, par exemple [4, p. 79] qu' « aucune bonne étude (n'établit) une relation incontestable entre une naissance difficile et prolongée et le développement d'une névrose, ni même que des enfants nés dans de telles conditions présentent plus (...) que d'autres les manifestations de l'anxiété infantile précoce ». Mais il est une « importante corrélation » dont « la découverte fait le mérite indiscutable de la construction de Rank ». Bien plus que les traumas physiques, la naissance « signifie une séparation de la mère ; d'abord une séparation d'un point de vue uniquement biologique, puis au sens d'une perte directe de l'objet » [c'est-à-dire, on le sait, de l'objet d'amour] [4, p. 78]. Et, nous l'avons vu, la théorie de « l'après-coup » dira que les traumatismes éventuellement névrotisants de l'avenir ne prendront ce rôle que par leur rencontre remontante avec les traces ineffaçables des traumas antérieurs, dont le trauma natal reste le prototype. Il n'est pas plus fondamental que les autres traumas qui seront subis, au cours de l'enfance principalement. Contrairement à ce que soutenait Rank le traumatisme natal n'a pas un privilège exclusif : « il y a de l'angoisse dont le prototype n'est pas la naissance » [4, p. 57]. Rien ne permet d'admettre que ce qui se passe dans la vie psychique lors de chaque accès d'angoisse, revienne à reproduire la situation de la naissance.

Mais le trauma natal reste tapi là, sans doute dans la zone du ça qui s'infiltre dans le moi, prêt à resurgir dans le moi avec d'autres visages. Deux cas sont alors possibles : angoisse automatique « lorsque s'instaure une situation de danger analogue à celle de la naissance » [4, p. 91]. Arrêtons-nous un instant sur ce premier cas pour en proposer quelques exemples possibles : une opération chirurgicale ou, mieux, une situation psychosomatique, psychologique, interpersonnelle ou psychosociale où — expressions courantes et peut-être alourdies de significations natales — l'on s'éprouve « bloqué », « coincé », « dans le noir », « dans un tunnel », d'où l'on « se tire », d'où l'on a « toutes les peines du monde à sortir », etc. Deuxième cas, l'angoisse du trauma natal sera retenue comme le modèle d'un signal, d'une « mise en garde contre le danger ».

Nous sommes au moins redevables à Freud et à Rank d'avoir fait de la naissance tout autre chose que le « point zéro » du psychisme humain : elle constitue un capital — aussi un capital d'angoisse. Selon les situations ultérieures, selon aussi les caractères — autrement dit, en combinant caractères et situations, selon les personnalités — ce capital demeure heureusement inerte, improductif, ou au contraire se révèle gros d'angoisse névrotique. Freud, une fois encore, rappelle la différenciation des caractères. Si « tant d'hommes demeurent infantiles dans leur comportement envers le danger et ne surmontent pas des conditions déterminant l'angoisse qui sont désormais surannées, d'où provient cette persistance des mêmes réactions au danger » ? [4, p. 74]. Il y insiste et proteste : « A mettre [comme Rank] tout l'accent sur la force variable du traumatisme de la naissance, on ne laisse aucune place au rôle étiologique que peut à juste titre revendiquer la constitution héréditaire. » Et de reprocher à Rank d'avoir « totalement laissé de côté les facteurs constitutionnels et phylogénétiques » [*ibid.*, p. 79]. Freud dès 1890 insistait sur le fondement biologique de l'angoisse ; en 1926, il l'affirme aussi fermement. Cela n'emporte pas que l'angoisse soit seulement somatique : elle est psychosomatique. Ni l'une ni l'autre des deux composantes ne peut être gommée.

**3. L'angoisse infantile.** — De prime abord on semble demeurer dans la ligne précédente en supposant, au fond de l'inconscient infantile, le désir de retrouver la paix et le bonheur du sein maternel, ce « paradis perdu ». Les développements possibles ne manqueraient pas si leur facilité n'inquiétait bientôt. A s'y laisser aller on mettrait au compte de la nostalgie du ventre maternel la Terre-mère, la Patrie, l'Eglise, les séjours édéniques, le sommeil, la mort douce, le sommeil « en chien de fusil », la recherche du giron maternel ou féminin... Quoi que cette mythologie puisse avoir de séduisant et d'émouvant, peut-être faut-il y faire la part de nos rêveries, reposantes ou compensatoires.

Depuis les travaux célèbres de R. Spitz [27], la période de 7-8 mois est connue pour les épisodes d'angoisse que traverse l'enfant. Lorsqu'il a eu, pendant les six premiers mois, une relation normale avec sa mère — ou, pareillement, avec la personne qui (dans une pouponnière) en tient la place — l'enfant réagit négativement, douloureusement, à leur absence. A l'approche d'un étranger il manifeste de l'angoisse par perception intrapsychique (c'est-à-dire qu'elle pénètre l'inconscient) de la non-identité de l'étranger avec sa mère. « C'est le prototype archaïque de l'angoisse » (Spitz). Point très remarquable : cette angoisse n'est pas rencontrée chez tous les enfants. Spitz constate qu'un tiers des nourrissons ne présentent pas la moindre angoisse lorsqu'une autre personne se présente un jour à la place de la mère. Un peu scandalisé, Spitz raconte qu'ils ont l'air de s'en moquer : quelle que soit la présence, ils continuent de bien boire, digérer et dormir. Occasion précoce de remarquer que, dès 7-8 mois, des caractères sont ouverts à l'angoisse et d'autres protégés, selon une différenciation quantitativement importante (2/3 et 1/3).

Or dans les observations de Spitz l'entourage

humain et l'environnement sont, pour tous ces enfants élevés en communauté, rigoureusement identiques. L'expérience est donc cruciale et force est d'accorder ici à la première substructure constitutionnelle (ou génique) une contribution, sans doute importante, dans la genèse de l'angoisse. Comment cette disposition génique se trouve-t-elle mobilisée ou reste-t-elle virtuelle (et peut-être de moins en moins prégnante) selon les circonstances de la vie familiale, puis de la vie personnelle adulte ?

Adler propose une réponse qui ne satisfera pas Freud mais qui mérite d'être donnée. L'enfant porte une tendance à la phobie et à l'angoisse réelle, spécialement dans « le caractère nerveux ». C'est une survivance de l'attitude de l'homme primitif et des populations archaïques actuelles devant l'hostilité de la nature et la faiblesse extrême de leurs moyens de défense et d'action. Pareillement, devant des situations nouvelles, brusques, imprévues, nos dispositions névrotiques — celles de l'enfant — s'actualisent aisément. Spécialement, ces « caractères nerveux », qui éprouvent de l'angoisse à propos de tout et de rien, sont angoissés devant la montée de leur libido. Et Freud de résumer la conclusion d'Adler : « la conscience de leur propre faiblesse, et de leur impuissance, de leur moindre valeur, voilà la cause première de la névrose lorsque cette conscience, loin de finir avec l'enfance, persiste jusqu'à l'âge mûr » [2, p. 383].

Mais ce débordement, tout inorganisé qu'il soit, suit déjà un « modèle » : l'angoisse de la naissance ci-dessus décrite. Ici et là, « il s'agit, écrit Freud en un texte décisif, d'une libido devenue inutilisable et qui, ne pouvant alors être maintenue en suspension, trouve sa dérivation dans l'angoisse. Et ce n'est certainement pas par hasard que, dans cette situation caractéristique de l'angoisse infantile, se trouve reproduite la condition qui est celle du premier état d'angoisse accompagnant l'acte de la naissance, à savoir la séparation d'avec la mère » (1).

(1) [2, p. 475]. En comparant avec le compte rendu fourni plus loin par Françoise Dolto (v. pp. 66-67), on s'avise que celle-ci insiste, parce qu'il s'agit d'une fillette, sur le rôle affectif que doit tenir le père.

Comme l'angoisse névrotique de l'adulte, l'angoisse infantile n'a donc pas d'objet. L'idée que « l'enfant a peur de tout » n'est même pas conforme à la remarque banale de l'intrépidité de l'enfant, « casse-cou » notoire. Chiens, loups, cafards, araignées, rats, bandits, ogres, sorcières, l'obscurité, etc., ce sont les objets *artificiels* de l'anxiété fondamentale. Elle les saisit au hasard, sans rapport avec elle, non signifiants, fruits des récentes rencontres d'un sujet prêt à avoir peur de tout et de n'importe quoi. Elle fait seulement le lit de l'angoisse véritable, celle qui « apparaît par crises » [15, p. 134]. Elle n'est pas l'accès d'angoisse, débordement cataclysmique de l'anxiété, et par là aussi différent d'elle que les chutes célèbres sont différentes du cours calme du Niagara. Certes la crise d'angoisse doit être rapportée à « quelque chose », mais à quelque chose qui n'est ni l'araignée ni le cafard. L'anxiété préalable dit ses objets, authentiques (un danger réel) ou imaginés après coup. Mais, dans les deux cas, le fond d'anxiété est premier. C'est lui qui ou bien grossit la réalité du danger, ou bien le crée de toutes pièces. Les grandes anxiétés de l'enfant, si souvent et si fâcheusement dénommées angoisses, procèdent souvent de cette construction imaginaire. J. Favez-Boutonier l'a bien montré [15, p. 86] : les enfants qui éprouvent ces grandes anxiétés (surtout nocturnes) n'ont l'expérience ni des loups, ni des sauvages, ni du diable, ni de la mort. Ils transposent ainsi des anxiétés plus ou moins enfouies qu'ils éprouvent ou ont éprouvées devant des personnes de leur entourage : la mère, le père, le maître ou le médecin. L'adulte, trop souvent, collabore à cette transposition anxieuse lorsqu'il brandit les menaces apeurantes dont il faut bien constater qu'elles sont encore çà et là en usage :

« Pour faire obéir une enfant de 4 ans et demi, une personne adulte la menace « des rats qui mangent les petites filles pas sages ». Le lendemain l'enfant parle longuement « des loups qui sont dans les bois et du docteur dont elle a très peur parce qu'il la menace souvent d'une piqûre (...). Une disposition mentale (a été créée) qui se traduit par une floraison où apparaissent côte à côte l'animal effrayant et l'adulte tout-puissant, devant lequel on tremble. De même des autres objets devant lesquels on tremble : l'ogre, le bandit, le fantôme, etc. » » [*ibid.*].

Conservant la distinction de l'anxiété fondamentale et de l'angoisse, mais les rassemblant comme les deux volets du diptyque de l'angoisse névrotique, donnons précisément une observation où ils s'imbriquent constamment et pourtant se distinguent. En même temps y apparaît l'une des significations les plus fréquentes de l'angoisse infantile (1).

Josette, 3 ans et demi, est amenée à l'hôpital pour amaigrissement, pâleur, anorexie, indifférence aux jeux, nervosité, reprise de l'incontinence, insomnie ou cauchemars au réveil desquels l'enfant était en proie à des « crises de nerfs ». Abattements et crises alternent. « Tout traduit une angoisse entraînant des symptômes névrotiques régressifs. »

Examen somatique négatif. Les troubles remontent à trois semaines. Aucun incident impressionnant dans l'environnement familial. Cependant les parents ont acheté un divan à mettre dans la salle à manger pour coucher l'enfant. A celle-ci on n'a rien dit. Et, dit la mère, « elle n'a même pas fait attention au nouveau divan. C'est un vrai bébé ». Le médecin psychanalyste « explique à la mère, et devant Josette, que son enfant souffre moralement, qu'il fallait l'aider à supporter l'idée de se séparer de ses parents, à être traitée en grande fille, ce dont elle avait peur » (p. 12). En même temps, elle rassure Josette : « Peut-être croyait-elle que ses parents l'aimaient moins, que papa voulait se débarrasser d'elle ? »

Suivant les conseils reçus, le soir même les parents annoncent le changement prochain. Le père a été plus câlin que d'habitude, il a décrit la grande fille qu'elle allait être et dont il

(1) Nous résumons à grands traits l'observation initiale de Françoise DOLTO [*ibid.*, pp. 11-13].

serait fier, l'école prochaine, ... Huit jours plus tard, l'incontinence a cessé, l'appétit est revenu, l'enfant couche sur le divan (son père va l'embrasser au lit). « L'angoisse a disparu et l'enfant a reconquis son niveau affectif normal. »

« L'angoisse infantile, écrit J. Laplanche, n'est pas autre chose que de la libido inemployée. Provoquée par la perte de l'objet aimé (ici la perte des parents, et principalement du père), elle n'est que la répétition d'une décharge anarchique de libido qui ne trouve plus ni son objet ni les actes précis à effectuer par rapport à cet objet ; décharge de cette libido par un véritable phénomène, là encore, de débordement, mais au sens où une marmite déborde. Le sujet déborde de libido, et c'est ce qui est perçu par lui comme angoisse » [11, p. 462].

Loin qu'ils constituent « le contenu latent de ces manifestations inexplicables en apparence » [15, p. 149], de pseudo-objets représentent des constructions surajoutées qui n'ont guère de relation ni avec la crise elle-même, ni avec le fond d'anxiété, inscrit dans le sujet non pas tant par des événements que par des *situations* longuement vécues : l'anxiété fondamentale s'est peu à peu constituée comme la structure névrotique du sujet à la faveur des situations qui se sont imprimées en lui (1).

Melanie Klein a proposé pour l'angoisse infantile une genèse beaucoup plus complexe dont le principe peut être joint aux principes de l'explication freudienne. Selon cet auteur, pour le tout jeune enfant la mère est perçue comme « objet partiel » (v. p. 73) mais double : les satisfactions sont attribuées au « bon objet », les frustrations au « mauvais objet ». Il y a un bon sein qui fournit nourriture et plaisir, et un mauvais sein qui les refuse. Les fantasmes relatifs aux bons objets

(1) « C'est dans les bois de Combourg que j'ai commencé à sentir les premières atteintes de cet ennui que j'ai traîné toute ma vie, de cette tristesse qui a fait mon tourment et ma félicité », écrivait Chateaubriand.

seront les représentants psychiques des pulsions libidinales ; relatifs aux mauvais objets, ils seront les représentants psychiques des pulsions de destruction. Entre eux, des conflits très intenses et angoissants qui, lorsque l'enfant parvient à séparer une réalité extérieure, commencent à se projeter sur le monde. En particulier « face aux bons objets idéalisés s'instituent de mauvais objets persécuteurs et angoissants ». C'est la *phase paranoïde-schizoïde* et ses angoisses spécifiques.

Entouré par de bonnes expériences l'enfant abandonne peu à peu l'angoisse persécutoire et reconnaît enfin sa mère comme objet *entier*, rassemblant le sein, le visage, les mains, le corps. La mère étant ainsi, dans son unité, à la fois bon et mauvais objet, ce dernier trait va, en une seconde période, inquiéter, déprimer l'enfant : c'est la *phase dépressive* et ses nouvelles angoisses. La survenue du complexe d'Œdipe, beaucoup plus précoce que chez Freud, ajoute ses fantasmes angoissants. Ces psychanalyses, forcément exercées sur des enfants plus âgés, nous intéressent en ce qu'elles découvrent, totalement recouverts par les expériences vécues qui semblent ainsi les avoir effacés, des courants fantasmatiques entièrement insoupçonnés, qui peuvent exploser à la surface dans une inhibition ou dans un accès d'angoisse dont l'explication est évidemment inaccessible au patient.

## III. — Explication objective de la crise d'angoisse névrotique

La meilleure explication *objective* de l'angoisse a été fournie par un psycho-biologiste. Etudiant de nombreux blessés du cerveau, Kurt Goldstein (1) constate que la crise d'angoisse survient (dans le cas particulier où la blessure physique ramène les sujets à un stade élémentaire et significatif) lorsque le sujet se trouve en situation d'échec ou de souffrance. Tel est le cas de certains asthmatiques.

*L'angoisse de l'asthmatique.* — La concomitance fréquente de la crise d'asthme et d'une crise d'an-

(1) Rapporté par J. FAVEZ-BOUTONIER, [15, p. 69].

goisse pose la question, psychologiquement intéressante, de l'antériorité de l'un des deux phénomènes, physique et psychique. Tout d'abord, il est sûr que cette angoisse de l'asthmatique, fréquente, mais non pas régulière, possède tous les traits de l'angoisse classique : « *Extrême et brutale elle n'est pas une inquiétude, mais une sensation de détresse dans une perspective de danger mal défini et directement menaçant, crainte de la perte de ce que l'on a de plus cher, sensation d'une difficulté extrême d'être face au monde. Chez l'asthmatique l'imbrication des deux angoisses* [*physique et psychique*] *est assez évidente.* »

Le même médecin a observé : « Sur 270 cas recueillis en quatorze ans, un quart de ces cas [d'asthme] est provoqué par un stress anxiogène », tandis que « dans la moitié des cas au moins, l'état de mal stimule l'angoisse qui vient elle-même entretenir le bronchospasme » (1).

Somme toute, l'angoisse de l'asthmatique met en évidence et grossit pour notre analyse la nécessaire présence, à la source de la crise d'angoisse, d'une « représentation » consciente (chez l'asthmatique notamment), préconsciente ou souvent inconsciente que, dans ce dernier cas, seuls pourront peut-être retrouver le psychanalyste ou quelquefois l'autoanalyse du sujet lui-même. Que cet élément représentatif fasse défaut, on n'a plus affaire qu'à un bronchospasme.

Il est remarquable que, sans doute parce que l'asthmatique sait ce qui à la fois l'étouffe et l'angoisse, il est relativement protégé contre le bouleversement effrayant qui s'empare de l'angoissé

(1) P. Grillat, L'angoisse et la recherche du refuge, *Psychol. médicale*, 1978, 10, 6, 1051-1058, p. 1057.

lorsque aucun signe prémonitoire ou concomitant ne lui permet de rapporter son angoisse à une cause objective, de l'ex-pliquer, de la dé-plier. Il subit son angoisse comme il subit son asthme. Il sait de quoi il s'agit, tandis que l'angoisse sans antécédent tient son drame et son effroi de son mystère. Cela s'explique par l'unité structurelle de l'organisme face aux situations rencontrées. La globalité somatique du trouble, dont Freud tirera souvent argument pour l'aspect psychosomatique de sa théorie de l'angoisse névrotique, s'impose ici, avec les débâcles diverses sur lesquelles il est inutile d'insister : diarrhées, vomissements, sudations exacerbées, incoercibles, parfois bégaiements, vertiges. A ces derniers troubles Freud fera une place de choix dans les développements de sa théorie de l'angoisse, où nous les retrouverons. Revenons à l'explication objective. Causes de l'angoisse ? Effets de l'angoisse ? Non. Selon Goldstein :

*C'est là l'angoisse elle-même.* « Ce que vit le malade, c'est l'ébranlement de la structure de sa personnalité. Il ne ressent même pas l'angoisse, il *est* l'angoisse et ne fait qu'un avec elle, dans ce bouleversement indicible où sujet et objet ont disparu. » Bouleversement qui n'est autre que « l'ébranlement catastrophique de l'organisme qui lutte contre le milieu ». « Aussi, pour lutter contre les crises d'angoisse, autant il est inutile de raisonner l'angoissé, autant il est décisif de le placer dans une situation nouvelle adaptée à (sa) capacité actuelle. »

On n'est pas fondé à reprocher à Goldstein de ne pas avoir expliqué « pourquoi l'angoisse n'accompagne pas *toutes* les réactions catastrophiques » (J. Favez-Boutonier). Simplement, les différenciations interindividuelles s'exercent ici : les personnalités à fort coefficient d'émotivité subissent plus facilement l'accompagnement de l'angoisse.

L'analyse de Goldstein n'a pas ignoré la théorie

freudienne. Sa réponse est plus simple, sans doute trop simple. Du moins se propose-t-elle, parfaitement cohérente et claire, à qui n'accepterait pas les principes de la psychanalyse. Pour lui, il n'est besoin ni de pulsion ni d'inconscient. S'agit-il du complexe d'Œdipe ? Goldstein constate — sans chercher une explication — qu'une « Forme » (au sens gestaltiste) d'antagonisme s'établit dès l'enfance entre l'enfant et le père, cette Forme cédant la place au cours de l'évolution à d'autres Formes, plus adaptées. Mais les Formes premières demeurer[illegible] là, virtuelles, dans la mémoire, prêtes à se réinst[illegible] si des situations analogues à la situation in[illegible] et enfantine se produisent encore. En p[illegible]ier, si les Formes premières ont été fortes, e[illegible]ormes nouvelles faiblement structurées, a[illegible]s situations actuellement vécues ne tro[illegible]t pas de réponse adaptée ; les Formes anciennes s'imposent, inadaptées, inefficaces : l'angoisse est le fruit de ce constat d'incapacité.

Ainsi, entre la théorie objectiviste et la théorie psychanalytique, que nous allons tout à l'heure rappeler, un consensus s'établira sur une explication minimale : l'angoisse apparaît lorsque l'affectivité du sujet n'est plus capable de s'adapter et de répondre avec pertinence à la situation psychologique qui lui est faite ou, plus encore, qu'il s'est faite. Ici aussi la source est du conscient, de l' « actuel », comme dit Freud ; ici aussi l'angoisse traduit l'inadaptation de la « forme » ancienne à la situation actuelle. Même si freudisme et gestaltisme par ailleurs s'opposent, on remarque, significativement, le parallélisme des mécanismes.

## IV. — Explications psychanalytiques de la crise d'angoisse névrotique

Il serait surprenant que s'excluent les explications successivement avancées par Freud. Nous montrerons dans ce qui va suivre comment elles s'imbriquent et se complètent.

1. **Le principe de la théorie freudienne.** — En 1916, l'*Introduction à la psychanalyse* déclare « incompréhensible » l'angoisse névrotique : c'est un « accès spontané et libre » ravageant le moi, qu'on ne saurait lier à « un danger ou à un prétexte ». C'était la confirmation de la théorie exposée par Freud dès 1887-1902. L'accès, la crise violente, se greffe sur le premier volet de l'angoisse névrotique : l'anxiété fondamentale. Elle en est l'implosion, qui se fixe sur n'importe quel thème ou, beaucoup plus souvent, ne se fixe que sur elle-même. Ce fond anxieux est, rappelons-le, à peu près constant dans les angoisses névrotiques, beaucoup plus distendu évidemment, voire peu apparent, lorsqu'il est associé aux moins éprouvants accès de l'angoisse que nous nommons simplement « nerveuse » (v. p. 35, n. 1). En pareil cas, le fond d'anxiété, d'un niveau évidemment accordé à celui des crises, peut ne se révéler que par un malaise psychologique diffus, un manque d'entrain, d'activité, d'assurance, une dépression légère. Ce tableau répond pourtant, dans tous les cas, à une surabondance plus ou moins marquée d'énergie psychique par rapport à la quantité d'excitation interne supportable par le sujet. Pourquoi cet excès l'importune-t-il ? Nous le verrons avec précision plus loin (p. 101). Mais l'essentiel est ici de reconnaître que cette énergie surabondante, non seulement est inutilisée mais encore crée, par

son errance vaine, le malaise psychique fondamental comme l'éruption angoissée qui le ponctue par intermittences et l'exprime comme son paroxysme. Eruptions diversement ressenties chez un même sujet, encore plus selon les sujets : Freud — on l'oublie trop — a jeté les bases d'une véritable caractérologie de l'angoisse névrotique (v. p. 105).

Equivalente au désir, si l'énergie-désir s'arrête sur tel ou tel objet séparé (les seins ou une autre partie du corps, le pied, la main, les divers fétiches, la nourriture), elle les constitue *en objets partiels*, fatalement décevants. Au lieu d'orienter le sujet vers l'objet total ils provoquent l'insatisfaction, la recherche anxieuse et son explosion dans l'angoisse névrotique.

Péril renforcé quand l'énergie-désir — la *libido* (1) — est incapable de se fixer sur un objet même partiel, de se lier à des contenus. Liée, elle eût été dirigée et par là modulée, freinée. Elle se serait associée, d'une part, à certaines instances somatiques, d'autre part à des affects, à des significations elles-mêmes en rapport avec d'autres significations — bientôt peut-être à un ensemble, à l'objet total. Des réseaux d'intérêt se seraient constitués qui l'auraient à la fois entravée et dirigée, lui auraient donné *un sens*. Faute de cette élaboration, elle explose dans l'angoisse névrotique. Energie déboulant dans le moi sans élaboration, sans pro-

(1) Rappelons la définition de la libido : « Nous appelons ainsi l'énergie, considérée comme une grandeur quantitative — quoiqu'elle ne soit pas actuellement mesurable — de ces pulsions qui ont à faire avec tout ce que l'on peut comprendre sous le nom d'amour » (Freud). La libido perd sa destination sexuelle dans les investissements narcissiques, c'est-à-dire lorsque le sujet la détourne excessivement vers lui-même et vers l'amour de soi. Mais avant ce détournement la libido désigne l'aspect psychique de la pulsion sexuelle. Freud n'a jamais admis qu'elle soit, comme le voulait Jung, « l'énergie psychique en général », la « tendance vers... ».

duction d'état affectif : l'affect sera la saisie par l'affectivité de cet ébranlement psychosomatique, l'énergie-désir se répand en quelque sorte dans le moi, l'inonde et lance l'angoisse. Le schéma que voici (1) exprime bien cette invasion libidinale et son mouvement manqué, non transformé en affect et réfracté en angoisse :

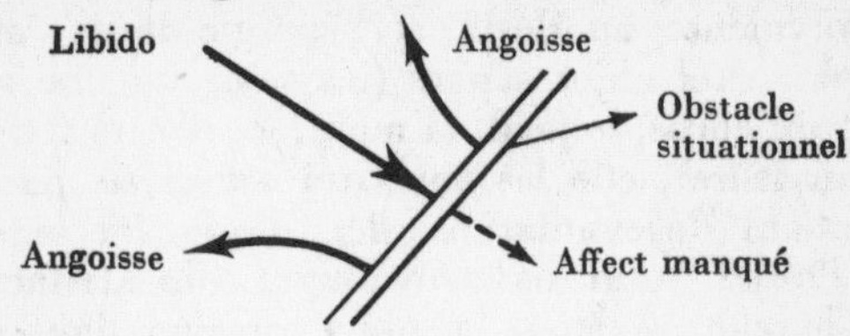


Mais pourquoi cette énergie en excès ? Question capitale, à laquelle peut répondre un élargissement de la perspective que Freud a ouverte. A la prendre au pied de la lettre, la première explication freudienne (1892-1895), très affirmée encore en 1916, paraît aujourd'hui grosse et simpliste : elle pose comme théorème de l'angoisse névrotique que « *la tension sexuelle se transforme en angoisse dans tous les cas où, se produisant avec force, elle ne subit pas l'élaboration psychique qui la transformerait en affect* » [7, p. 84 ; nous soulignons].

Nous proposerons (§ 3, p. 78) un élargissement de l'explication freudienne. Mais il importe d'abord d'en retenir les importantes contributions. Freud a enquêté sur de nombreux cas cliniques, il a interrogé sur leur vie sexuelle des centaines de patients angoissés. Ce qu'il dresse, c'est seulement *un constat* :

« Il s'agit d'une accumulation de libido dont le cours normal est entravé ; et les processus auxquels on assiste sont *tous et*

(1) Nous modifions légèrement le schéma de J. Laplanche [11, p. 449].

*uniquement de nature somatique.* On ne voit pas tout d'abord comment l'angoisse naît de la libido ; on constate seulement que la libido est absente et que sa place est prise par l'angoisse » [2, p. 380].

Après cela, il n'est guère possible de réintroduire, malgré Freud, l'affect dans cette angoisse sans affect : « L'angoisse, écrit J. Laplanche [11, p. 449], (est) la désorganisation de l'affect, *ou encore l'affect le plus élémentaire.* » Substitution difficile de « l'affect le plus élémentaire » à l'absence totale d'affect affirmée par Freud (1). Freud est d'une logique imparable : il n'y a pas d'affect inconscient. L'accès d'angoisse est un phénomène psychosomatique *non lié, sans signification* (ce qui n'emporte pas qu'il soit sans explication). « Il s'avère ne pas pouvoir être réduit plus avant par l'analyse psychologique et ne pas pouvoir être non plus attaqué par la psychothérapie » (analytique).

L'angoisse n'est donc ni « l'affect le plus élémentaire, ni la désorganisation de l'affect », comme l'écrit Laplanche : elle est la non-organisation de l'affect.

Mais l'angoisse deviendra, très rapidement, un affect. Nous allons étudier tout à l'heure (§ V) cette élaboration psychique de la crise d'angoisse. Mais, *dans son état immédiat*, elle n'est qu'une explosion psychosomatique. Elle n'est pas « la désorganisation de l'affect » : elle est ce « choc émotionnel » encore « indéterminé qui constitue un temps préalable et constant du processus de qualification de l'émotion en général » (Lagache, IV, 316).

(1) En un passage de l'*Introduction* (p. 373), FREUD parle, il est vrai, des « états affectifs » qui peuvent accompagner l'angoisse. Il traite là de l'angoisse qui se joint à la peur, nullement de l'angoisse névrotique, sans objet. Freud écrira (p. 374, au bas) : « Pour passer à l'angoisse des nerveux, quelles sont les nouvelles manifestations qu'elle présente ? » Ce n'est donc pas d'elle qu'il traitait jusque-là.

Mais si l'accès d'angoisse est « sans signification », qu'est-ce qui explique qu'il surgisse à tel moment, chez telles personnes plutôt ou plus souvent que chez d'autres ? Relevons d'abord les réponses que Freud a répétées pendant un quart de siècle. Elles se rassemblent dans le principe suivant : « Le champ de représentation où doit déboucher la tension physique (sexuelle) n'existe pas encore ou est insuffisant ; en outre, il faut y ajouter le rejet psychique de la sexualité, qui constitue un résultat secondaire de l'éducation. »

Même si la source sexuelle est désormais gommée par les psychanalystes, au profit de la libido en général, il reste utile d'observer qu'à la fin de l'adolescence certaines personnalités émotives et introverties peuvent éprouver une inquiétude, un doute ou un effroi devant la réalité sexuelle, connue ou imaginée. Freud a pensé à elles lorsqu'il a décrit l'expérience sexuelle comme une épreuve redoutée (de moins en moins, il est vrai) par quelques personnalités féminines, tandis que l'organe sexuel féminin est « effrayant pour tous les hommes ». Il est d'observation courante que ces personnalités constituent l'expérience sexuelle en une épreuve redoutable, et l'épreuve, si elle est écartée ou manquée, renforce l'anxiété devant l'approche du sexe.

Freud apercevait bien l'alternative, inquiétante pour la « morale » de son œuvre. Ses rapports de collaboration puis de discorde avec W. Reich [32] avaient beaucoup contribué à la lui faire sentir : si la sexualité refoulée est à la source de nombre de désordres — et notamment de l'angoisse névrotique —, « nous connaissons la responsabilité que nous encourons en l'étouffant ». Mais alors, faut-il, comme dans « les peuples de civilisation inférieure et les couches sociales les plus basses des peuples civilisés, laisser toute liberté à la sexualité (des enfants) ? (Alors) quelle perte en aptitudes pour les œuvres de la civilisation ! On a l'impression de se retrouver ici entre Charybde et Scylla » (*Ma vie et la psychanalyse*, p. 178). W. Reich [32] demandera de rompre l'alternative par la libération sexuelle. Le temps présent lui donne des satisfactions.

**2. La signification de la théorie freudienne.** — Les vues du jeune Freud peuvent — et doivent — être étendues, ou du moins largement entendues. Pourquoi « l'angoisse naît-elle de la libido » ? « C[illegible] que la libido, pas plus que la « vie », ne peut [illegible] moter. Nous pouvons modifier des manife[illegible] la vie ; mais, une fois déclenchée, la [illegible]ête que par la mort. De même la libido [illegible]isse ni annuler ni amoindrir » [F. Dolto, 25, p. 23]. Or la libido, qui n'est pas la pulsion sexuelle mais la traduction psychique de cette pulsion, peut, dans certains caractères, ne pas trouver à se fixer. Au fond de l'angoisse névrotique gît (v. schéma, p. 74) l'impossibilité de transposer en affect, par une « élaboration psychique », la poussée énergétique de la libido. « Normalement l'appareil psychique transforme l'énergie qu'il reçoit (...) en la dérivant ou en la liant à des représentations ou à des impressions affectives. »

**Autrement dit, selon nous tout se passe comme si la poussée de la pulsion conservait dans l'angoisse névrotique son caractère élémentaire et massif. Dans le moi, et surtout dans son contexte inconscient s'interpose un obstacle (par exemple des impressions issues de l'enfance, d'expériences antérieures, de traumas divers, ou simplement la situation actuelle, bloquée, du sujet, inconsciemment ou préconsciemment ressentie comme une impasse). Elle ne s'amalgame donc pas avec des états affectifs, qui devraient la diriger en élans vigoureux ou lui fournir une tonalité globale. Freud est, nous l'avons vu (v. p. 74), par-**

faitement explicite. Dans un autre langage freudien, l'angoisse névrotique correspond à un « processus psychique primaire », c'est-à-dire à l'envahissement du psychisme par une énergie anarchique, liée à rien. Tandis que le fonctionnement normal implique l'établissement de « processus psychiques secondaires », modérant ou modulant le processus primaire par un investissement équilibré du moi, le désir primaire survole l'environnement d'un sujet exigeant, délicat ou fragile sans y découvrir l'objet qui le fixerait et le mobiliserait. Cela ne signifie en rien que les états affectifs, et par exemple le sentiment amoureux, ne sont pas présents, et même fortement présents, dans l'affectivité de l'angoissé ; seulement la synthèse, le rassemblement au moins, de la poussée pulsionnelle et de ce sentiment n'arrivent pas à s'accomplir.

3. **Unité de la théorie freudienne.** — Nous le verrons mieux encore en étudiant (chap. VII) l'angoisse phobique de l'inconscient — celle, célèbre, du petit Hans —, mais nous allons le reconnaître ici même : *il n'y a pas, chez Freud, « deux théories de l'angoisse » (J. Laplanche), mais la théorie de deux angoisses :* d'un côté l'angoisse névrotique banale — celle dont nous traitons ici ; de l'autre « l'hystérie d'angoisse » (1), celle que nous nommons, pour plus de clarté, « l'angoisse (phobique) de l'inconscient » — celle du « petit Hans », de « l'Homme aux loups » ou de « l'Homme aux rats », qui est non plus une névrose, mais une psychonévrose (v. chap. I^er^, pp. 14-16).

La seconde, « l'hystérie d'angoisse », forme le cas « où quelque chose se produit dans le ça, qui active pour le moi une des situations de danger et, de ce fait, l'invite à donner le signal d'angoisse en vue de l'inhibition de la pulsion menaçante » (Freud). La

(1) D. Widlöcher écrit : « Les divergences théoriques, en apparence, concernent toutes le même phénomène que nous appelons angoisse. Mais derrière ce mot se dissimulent des objets de nature différente » *in* P. Pichot (s. la dir. de), *L'anxiété*, Masson, 1987, p. 54. (Ce sont peut-être ceux que nous avons voulu, au chapitre I, distinguer les uns des autres en séparant les notions correspondantes.)

première, l'angoisse névrotique, c'est simplement « le cas où une situation analogue au traumatisme de la naissance (v. pp. 60-62) s'instaurant dans le ça, la réaction d'angoisse se produit automatiquement » [4, p. 65]. D'ailleurs Freud précise encore : « Le cas [de l'angoisse névrotique] est réalisé dans l'étiologie des névroses actuelles, [l'autre, l'hystérie d'angoisse], demeure caractéristique pour celles des psychonévroses *(ibid.)*. Cette séparation des angoisses de la névrose et des angoisses de la psychonévrose est à la fois fondamentale et très ancienne chez Freud. (Elle demeure d'ailleurs reçue aujourd'hui.) Elle est présente dès 1887-1902 dans la correspondance avec Fliess et confirmée catégoriquement vingt ans plus tard, dans l'*Introduction à la psychanalyse*.

Lorsque, en 1926 (dans *Inhibition...*), Freud *paraît* infléchir sa théorie de l'angoisse, en réalité il l'enrichit des analyses de psychonévroses dont il dispose alors (Hans, l'Homme aux loups, l'Homme aux rats). Il ne retire rien de sa description et de son étude antérieures de l'angoisse névrotique :

> « Ainsi, comme nous le voyons, il n'est pas nécessaire d'ôter toute valeur à nos découvertes antérieures ; il faut seulement les intégrer à nos vues plus récentes » [4, p. 66].

Et il prend soin de répéter l'étiologie des angoisses névrotiques, telle qu'il la soutient depuis 1887 :

> « Ici, encore une fois, il se peut fort bien que ce soit précisément le trop-plein de la libido inutilisée qui trouve sa décharge dans le développement d'angoisse » [*ibid.*].

On n'est pas davantage fondé à citer ici un passage de l'*Introduction...* où l'on lit : « L'état affectif présente la même structure que la crise d'hystérie. » Citation deux fois inadéquate, d'abord parce qu'il n'y a pas ici d'état affectif, ensuite parce que la crise d'hystérie appartient à un tout autre registre que l'angoisse névrotique (elle ressortit à une psychonévrose, non à une névrose ; elle a ses racines dans l'inconscient, c'est-à-dire dans l'histoire du sujet, alors que la névrose d'angoisse se rapporte à sa situation actuelle).

Nous devons donc prendre à cru l'angoisse névrotique et reconnaître qu'au départ elle ne comporte aucune élaboration affective. Ce qui est à élaborer, c'est la libido, l'énergie, qui forme le matériau des transformations à venir. Jung la « désexualisait » pour en faire « l'énergie psychique », l'énergie mentale globale. Freud refuse cette conception [5, p. 87]. Certes, le désir se « désexualise » parfois, par exemple quand il se sublime ou, plus communément, lorsqu'il renonce plus ou moins à ses fins sexuelles en faveur d'investissements narcissiques, c'est-à-dire des différentes expressions où il fait du moi lui-même son objet.

Bref, l'élément de départ de l'angoisse névrotique, c'est le désir qui, en ses multiples essais, n'en trouve pas qui le fixe et l'entraîne. Un « travail » va s'exercer sur lui, assez analogue dans son principe au « travail du deuil », mais bien plus encore au « travail du rêve ». L'appareil psychique transforme et transfère l'énergie libre en la dérivant ou en la liant. Alors que « notre appareil psychique (est) un moyen privilégié auquel est confiée la tâche de maîtriser des excitations qui, sans cela, seraient péniblement ressenties ou auraient une action pathogène » [5, p. 92], ce malaise, cette action pathogène apparaissent précisément lorsque, au lieu de se poser sur de vrais objets, le désir stagne *(Stauung)* dans le moi et y provoque l'angoisse névrotique. Hans aura de « l'*Angst vor...* », c'est-à-dire de « l'angoisse devant » les chevaux. Mais il saura — il croira savoir — de quoi il a peur : des chevaux. Cette angoisse devant les chevaux, pour une part justifiable, bouleverse bien moins que l'angoisse sans objet des angoisses névrotiques : le néant d'objet redouble ou décuple l'angoisse ; la présence ou la découverte d'un objet l'atténue. C'est à cette recherche que l'angoisse névrotique va, après l'acmé de la crise, s'employer.

## V. — L'élaboration psychique des crises d'angoisse névrotique

Quel est le point de départ de l' « élaboration psychique » ? Ni l'expérience clinique ni la référence à Freud ne permettent de suivre, nous l'avons vu, ceux des analystes contemporains qui revendiquent pour la psychanalyse le vaste domaine des angoisses névrotiques, que Freud avait écarté catégoriquement de sa compétence : pour lui, il n'est *originairement* dans la névrose d'angoisse qu'une énergie qui se déploie, errante et sans objet.

La précision psychanalytique a relevé les différents niveaux de cette élaboration psychique :

— *Au départ*, rappelons l'expression de Freud [illegible] même : l'explosion — ou plus exactement l'i[illegible]sion — de la tension psychique en angois[illegible] produit dans tous les cas où elle ne subit pas l'[illegible]boration psychique qui la transformerait en affect ». Rappelons aussi le mot célèbre — et juste à ce stade — de Jaspers : « L'angoisse est angoisse de rien » (*Psychopathologie générale*, trad. franç., 1933, p. 51).

— *Au premier niveau d'élaboration*, l'implosion angoissée se munit d'un affect au lieu d'être simplement subie comme un événement somatopsychique cataclysmique et incompréhensible : « Qu'est-ce qui m'arrive ? quel est ce séisme psychophysiologique qui vient de m'ébranler si puissamment ? » Indiquons d'abord (v. pp. 99-100) que les objets phobiques (éventuels, non nécessaires) de certaines angoisses névrotiques comme points de fixation n'auront pas d'attache inconsciente : l'orage ou l'araignée, le crapaud ou les couteaux en croix, ce sont des rencontres, des hasards qui les ont désignés. Si quelques-uns paraissent plus élaborés, s'il s'agit de tel mythe (astrologique par exemple) ou de tel thème (les esprits frappeurs, les âmes du Purgatoire, les « bruits » dans les cloisons, serrures ou volets, etc.), leur nature n'en est pas modifiée : deux séries psychologiques se sont par hasard croisées ; à un moment donné telle perception a coïncidé avec telle impression affective puissante, par exemple avec l'effroi provoqué par une explosion ou un violent coup de tonnerre. La trace de ces superpositions est demeurée comme un point de fixation privilégié pour l'implosion du fond anxieux en décharge d'angoisse violente. Pour autant, elle est et demeure non signifiante. Mais en même temps que la sueur perle au front et au creux des mains, l'angoissé commence à tenter de mettre de l'ordre, et des mots, sur ce tremblement qui l'a atterré : maladie brutale ? angine de poitrine ? défaillance ou débâcle cardiaque ? annonce d'une mort imminente — de l'une de ces morts subites, dont on parle tant et qui peut-être s'annoncent ainsi pour une prompte échéance ? Ainsi, presque aussitôt après l'ébranlement affectif, survient une première élaboration intellectuelle, sommaire, tumultueuse, elle-même angoissante par ses références.

— *Une seconde élaboration* tente d'affiner ces représentations à la recherche d'une causalité : elle en vient par exemple à interroger l'état de santé, l'alimentation, la nutrition, le surmenage, le manque ou l'irrégularité du sommeil, etc.

— *A un troisième niveau d'élaboration* — rarement atteint —, et qui se découvre assez longtemps après la première angoisse, le sujet peut être amené, dans la quête des causes, à sonder sa situation psychologique *actuelle*, les difficultés objectives et subjectives dans lesquelles il se trouve. Il (Elle) a préféré jusque-là ne pas les reconnaître clairement, redoutant le jugement des autres (parents, maîtres, collègues, chefs) et le sien propre. Il (Elle) sait par exemple que ses études ne conduisent nulle part, ou à des situations encombrées, incertaines, elles-mêmes chargées de conflits (1). Il (Elle) éprouve en même temps qu'il (elle) a vingt ans et qu'il (elle) n'a pas encore « connu » une femme (ou un homme). L'une des indications majeures de Freud, toujours présente dans son œuvre à partir de 1895, doit être ici une nouvelle fois rappelée : les impressions anxiogènes de ce type d'angoisse ne procèdent ni du complexe d'Œdipe, ni du complexe de castration (auquel Freud donnera grande importance, mais pour l'angoisse phobique). Elles sont liées à la situation psychologique ou psychosociologique actuelle ou récente de l'angoissé, qu'il n'a jusque-là vécue que dans un brouillard un peu anxieux qui estompait son inquiétude, son désarroi, son impression de *délaissement*. Maintenant, après l'éclair de l'accès d'angoisse, une certaine lumière se fait, qui peut-être va l'orienter vers des reprises et des résolutions. C'est sans doute en ce sens qu'on a parlé d' « angoisse créatrice » (Rycroft).

Lorsque Freud refuse de rapporter l'angoisse à un conflit inconscient, ce radicalisme s'entend de l'accès lui-même, dans son aspect immédiat. Les élaborations qui s'emparent aussitôt de cet énorme

(1) Il est notoire que les étudiants en philosophie et surtout en psychologie connaissent de façon plus fréquente que la moyenne l'anxiété et l'angoisse névrotiques. Cette fréquence (maximale chez eux, minimale chez les étudiants en sciences, selon les statistiques d'une importante clinique universitaire) peut être rapportée à la personnalité de ces étudiants, mais aussi au cadre de leurs études, souvent anxiogènes : l'angoisse elle-même, la schizophrénie, la psychose maniaco-dépressive, ce sont des situations impressionnantes. L'atmosphère des hôpitaux psychiatriques, certains traitements comme l'électrochoc, les images terrifiantes qui accompagnent des publicités pour les psychotropes dans les revues spécialisées, tout ce cortège morbide n'est insensible qu'aux psychismes robustes.

traumatisme et que nous venons d'analyser n'échappent pas, par contre, aux fantasmes inconscients, c'est-à-dire ici aux « visées des désirs et [surtout] des craintes émanant des structures inconscientes de l'appareil psychique (...), c'est-à-dire des buts et des objets refoulés et inconscients », ou des expériences qui n'ont jamais été perçues, formulées, mais sont restées latentes dans ces états et ces actes corporels que sont les accès d'angoisse névrotique, « comme une signification immanente à ces actes et à ces états » [Lagache, 45, t. IV, 316-339].

Frappé par le mot, d'inspiration patho-phénoménologique, de Jaspers ci-dessus cité (p. 81), D. Lagache cherche « en quel sens l'angoisse est 'angoisse de rien' ». Résumons sa remarquable explication : elle rend bien compte du sentiment de délaissement de la post-angoisse (p. 83). L'insécurité, les reproches prévus de l'entourage, l'isolement, maintenant bien aperçus, étaient déjà là, mais virtuels, latents, dans l'inconscient ou le préconscient. Des fantasmes de dévalorisation, de culpabilité s'étaient soudés à la crainte du dévaveu de l'entourage. Or, écrit Freud : « Pour le moi, exister, c'est être aimé. » Par ailleurs, le moi s'est pris à douter de sa capacité à répondre à ses espoirs et à ceux de son environnement. Peut-être le sujet, secrètement désarrimé, a-t-il abusé des stimulations toxiques, café, tabac, alcool, moins tolérées depuis qu'il est devenu anxieux, qu'il s'agite et dort mal. Car « on peut observer une corrélation entre le sommeil, sa qualité et sa durée d'une part, l'émergence ou l'absence d'angoisse le jour suivant d'autre part » (Lagache, *ibid.*).

Aussi faut-il souhaiter que l'angoissé réussisse, au « troisième niveau d'élaboration » (v. p. 82) de son angoisse, à découvrir, sinon le détail des fantasmes oppressants, du moins le sens global de

« l'empreinte » structurale qu'ils ont portée sur son moi préconscient ou inconscient.

Car le moi ne fait pas le détail de ses fantasmes. Ceux-ci sont comme confusément rassemblés dans une « loi », un « dénominateur commun » (Lagache) ; nous dirions dans une *humeur* fondamentale préconsciente, qu'il s'agit d'amener au jour pour la ventiler. Ce sera le « travail » de l'angoissé, ou, plus sûrement, du thérapeute.

## VI. — Le rêve d'angoisse

L'accès d'angoisse névrotique est vide de toute représentation ou, du moins, n'accorde à celle-ci qu'un rôle surajouté après coup par la conscience à une angoisse essentiellement dépourvue d'affect. Cette idée se trouve confirmée par l'analyse du rêve d'angoisse. Point absolument significatif : alors que le contenu du rêve constitue un retour déguisé du refoulé, pulsé dans la conscience rêveuse par la force du désir inconscient, alors que Freud tient essentiellement à sa théorie du rêve, il ne l'applique pas au rêve d'angoisse : *le rêve d'angoisse fait exception.*

Freud raconte deux rêves d'angoisse [10, pp. 495 et s.]. C'est d'abord l'un des siens, qu'il a eu vers 8 ans. Il lui montrait sa « mère chérie avec une expression de visage particulièrement tranquille et endormie, portée dans sa chambre et étendue sur le lit par deux ou trois personnages munis de becs d'oiseaux. Je me réveillai pleurant et criant... ». Trente ans plus tard Freud interprétera ce rêve : « Ce n'est pas parce que j'avais rêvé la mort de ma mère que j'étais angoissé, mais c'est parce que j'étais angoissé que mon élaboration préconsciente a interprété le rêve. Mais mon angoisse, effet du refoulement, peut se ramener à un désir obscur, manifestement sexuel, qu'exprime bien le contenu sexuel du rêve » (sa mère emportée dans l'état de plaisir tranquille qui suit l'acte sexuel).

Confirmation, par conséquent : l'angoisse dans le rêve suit le même procès que l'angoisse névrotique diurne ; il s'agit toujours d'une libido privée de son objet (ici la mère), et qui erre au hasard, provoquant cette angoisse qui tombera d'un coup lorsque l'enfant retrouvera sa mère, et la libido un objet. Il n'y a pas de représentation dans l'angoisse elle-même ; il n'y a pas d'objet, il n'y a pas d'affect. L'analyse de ce rêve d'angoisse confirme l'analyse de l'angoisse névrotique.

Le second rêve : « Un homme de 27 ans, gravement atteint depuis un an, a eu fréquemment entre 11 et 13 ans un rêve accompagné d'une angoisse très pénible : il est poursuivi par un homme avec une hache. Il voudrait courir, mais il est comme paralysé et ne peut bouger. »

On interroge le rêveur qui, après des associations de style agressif, retrouve tout à coup un souvenir de sa neuvième année, le souvenir d'une nuit où il a surpris les bruits caractéristiques de la rencontre sexuelle des parents (« la scène primitive », dit généralement Freud).

Il est remarquable que, malgré la hache et le symbolisme castrateur qu'elle évoque, Freud ne lie nullement ici l'angoisse à la peur de la castration. Le rêve d'angoisse emprunte évidemment aux contenus de l'inconscient. Mais, Freud le confirme encore en 1900 [10, pp. 146 et s.] : « L'*angoisse est seulement soudée aux représentations* qui l'accompagnent. Elle est issue d'une autre source. » Quelle source, nous le savons et, même si nous avons dû élargir beaucoup et désengorger la théorie générale de l'angoisse chez Freud, nous devons la rappeler avec lui : « une libido détournée de sa destination et qui n'a pas trouvé d'emploi » *(ibid.)*.

## VII. — Les angoisses névrotiques et leurs significations

Nul ne peut accepter que quelque chose se passe en lui dont il ne puisse, tant bien que mal, rendre compte. « Cette angoisse peut être levée par une élaboration psychique ultérieure, conversion, formation réactionnelle, formation de protection (phobie) » (Freud).

Ainsi s'ouvre le vaste domaine des significations que les angoissés donnent à leurs angoisses. Ne pouvant ouvrir aux significations proprement philosophiques la place méritée, c'est aux interprétations les plus typiques et les plus générales que nous ferons place. La question ne se pose pas de la « vérité » de telle ou telle manière de vivre l'angoiss
et, en lui donnant sens, de la transposer en un é
ment positif et fécond de la vie psychologiqu
morale, par exemple d'en faire « l'angoisse
trice » (1). Ces affirmations sont légitimes. x,
elles sont vraies : dans la post-angoisse, l' ssé
est dans la nécessité intime de découvrir ens à
l'expérience extraordinaire qu'il vient de vivre : une telle expérience, existentielle, philosophique ou religieuse, est toujours incontestable. L'élaboration psychique de la post-angoisse, chacun l'accomplit bien évidemment selon ce qu'il est. Sur le fond même, un auteur (Ch. Rycroft) peut « considérer l'angoisse comme une forme de vigilance soulevée par des transformations dans l'environnement ou dans le moi » [29, p. 119]. Le psychologue ne le contredit pas. Il reconnaît dans l'accès d'angoisse une déflagration d'énergie dans le moi devant une situation qui le remet en cause, le place en situation de conflit, d'inadaptation aux circonstances intimes ou extérieures, *d'impasse vitale*, qu'il s'agisse de la vie affec-

(1) Kierkegaard, on l'a vu, avait proclamé la valeur affective et inventive de la post-angoisse (v. p. 40). L'expression d' « angoisse créatrice », titre d'ouvrage, de chapitre, ou de paragraphe, est utilisée et explicitée par un grand nombre d'auteurs : Ch. Rycroft [29], Marcel Eck [30], J. Favez-Boutonier [15, pp. 296 et s.], J. Barraud [31]...

tive, des relations avec les autres, d'un sentiment d'amour mal reconnu ou redouté, d'une impression de fourvoiement dans les amitiés, les études, le milieu, la carrière — bref d'une situation qui ne donne plus à l'énergie vitale, à la libido, les attaches dynamiques où elle pourrait s'accrocher pour un nouvel élan du moi. Par là même, le psychologue reconnaît que l'angoisse signale la présence dans le moi d'une énergie inemployée, et par conséquent disponible, si l'on sait l'appréhender, pour créer.

Les interprétations positives ou chaleureuses de l'accès d'angoisse sont l'œuvre d'angoissés qui ont pu maîtriser et détourner quelque peu cette surabondance, jusque-là anarchique faute d'objet à investir. Ainsi l'angoisse nourrit secondairement une *angoisse-vigilance* provoquée par les menaces psychologiques internes qui viennent d'être ressenties contre la sécurité de la personnalité. Cette vigilance à son tour peut être dirigée vers une stimulation active [29, p. 13], qui s'efforce de redresser par un nouveau départ — sans que s'établisse, assez souvent, un clair rapport entre l'angoisse et cette intention — l'équilibre sourdement rompu. De nombreuses créations artistiques, littéraires, philosophiques peuvent ainsi reconnaître l'angoisse névrotique comme leur source, un étai, un renfort ou un couronnement. Il reste que le caractère second — et d'autant plus méritoire — de cette réaction doit être redit : l'angoisse névrotique n'est que ce qu'elle est, un événement psychosomatique qui signale un état du moi. Le « moi » au sens psychanalytique — partiellement inconscient ou préconscient — est à la fois réservoir d'énergie et objet de désir pour le ça. Dans l'énergie dont il dispose, le moi fait un partage — très variable selon les personnalités — entre les objets extérieurs et lui-même, qu'il prend parfois comme objet très privilégié (c'est le narcissisme). Selon les modalités de ce partage, il s'intéresse davantage au monde (soit pour le ressentir, soit pour le modifier) ou davantage à lui-même. Plus introverti ou plus extraverti, le langage psychanalytique le désigne comme plus « narcissique » ou plus « objectal » (v. chap. IV, p. 54). Surchargé d'énergie psychique incontrôlée, mobile, le moi angoissé pourrait être comparé à un navire dont le cargaison se serait désamarrée et roulerait dans la cale de bâbord à tribord. C'est cette carence que les angoissés s'efforcent de pallier dès qu'ils le peuvent : s'emparant vaille que vaille de l'angoisse, ils la revendiquent pour lui découvrir des emplois, des significations, et peut-être des richesses.

Quelle est cette ouverture de protection ou de salut ? Nous savons que l'angoisse névrotique est liée à la perte de l'objet, qu'elle procède d'une impression préconsciente d'impasse, de projet vacant et insaisissable, d'avenir fermé. Autrement dit, cet angoissé-là ne sait plus quel objet il pourrait proposer à son désir. Sa mère, son père se sont éloignés ; il est là, seul, très concrètement, devant son apprentissage, ses études, l'approche de l'autre sexe, la vie. Son entourage ne lui offre qu'indifférence, sarcasme, hostilité larvée, ou peut-être simple éloignement. Littéralement, il ne sait plus où il est, où il en est. Il s'éprouve comme absurde dans une vie absurde, comme un désir errant en quête d'une visée, d'une prise qui soit à sa dimension. Les hommes ne veulent-ils pas, ne doivent-ils pas conférer une finalité à leur existence, l'orienter vers un bien à conquérir ou vers un don à consentir, bref vers un *sens* (dans les deux acceptions de signification et de direction) à imprimer à leur vie ?

De son côté, Clément Rosset entend montrer [34] comment cette attente du sens double d'une vie signifiante parce que finalisée engendre l'angoisse : « angoisse par dépossession de ce qui était considéré comme donné », comme donné par la nature. Ce qui angoisse l'homme, dans l'expérience de l'absurde, c'est le peu qui lui a été donné. « Ce peu de sens, ce peu de mère, ce peu de nature suscitent l'angoisse (parce qu'ils) sont des objets promis à la déperdition et à la contradiction » [p. 71]. Pour défendre le sens et la finalité de la vie, la philosophie est montée en ligne. Elle a exercé ardemment sa « tâche cathartique » en s'efforçant d'être rassurante : « rassurer en redonnant le sens à la vie ».

Mais il est, dit Rosset, une autre manière de rassurer les hommes, c'est de priver la vie de tout sens, de montrer *qu'il n'y a pas de nature* pour donner signification à qui et à quoi que ce soit. Rien n'est jamais perdu puisque rien n'est à perdre, puisque « rien n'est vraiment jamais donné » (Cl. Rosset). Cette tout autre lignée — qui a ses titres et ses auteurs, elle aussi, et que le temps présent reprend en compte — dénie le sens aux au-delà du présent et du tout proche avenir. Un monde « dénaturé » délivre les hommes de toute signification à rechercher, de toute visée à poursuivre selon les exigences d'une « nature » maintenant effacée. Il les éloigne par conséquent de toute anxiété et de toute angoisse.

... Par un biais assez court, on rejoindrait la revendication de ce qu'on pourrait nommer la psychiatrie de la liberté. Libérer le malade, c'est l'intention de toutes les thérapies. Encore faut-il « prêter l'oreille, écouter, (car) ceci nous concerne tous. Il y a là une vérité réprimée qui cherche à se faire entendre. Il y a là, peut-être, une liberté à naître, dont vous n'avez pas encore idée » [34, p. 53].

Un grand nombre d'angoissés névrotiques ne parviennent, malheureusement, ni aux sublimations, ni aux détournements, ni aux libérations, de l'énergie angoissée, — ni non plus à la simplicité qui dissout les angoisses, selon Rosset, en dégonflant la « nature » et ses pseudo-exigences. Même lorsque l'angoissé réussit ces cathartismes, ces sublimations ou ces dissolutions, il n'éponge que rarement son fond anxieux.

Les plus nombreux en demeurent au stade élémentaire. Les plus malheureux — cas peu fréquent à vrai dire — sont ceux qui, par suite de circonstances le plus souvent déterminées par l'environnement, ont compliqué l'angoisse initiale jusqu'à y installer des éléments phobiques ou paranoïaques sur lesquels l'angoisse errante s'est liée pour alimenter un symptôme. Pour son traitement comme pour son analyse, l'angoisse névrotique ne peut être séparée de ses contextes. Freud, dans la théorie de l'angoisse phobique (v. ch. VII), fera de celle-ci un syndrome. L'angoisse névrotique paraît échapper le plus souvent à ces complications : la surprime qu'elle paie à la violence de ses crises paraît lui valoir assurance et défense à leur égard.

Selon son caractère le sujet tente de s'affranchir de son angoisse, soit paradoxalement en la décrivant, en l'analysant, en l'exploitant comme Kierkegaard, ou bien en cherchant à l'éviter, à la fuir par la lecture, le spectacle, les sorties, les compagnies nombreuses — bref le « divertissement » pascalien. Selon la substructure constitutionnelle et la substructure infantile conjuguées, se manifesteront des types (assez bien différenciés) de cette angoisse nerveuse ou névrotique, paranormale, non vraiment pathologique. D'expression assez différente sans doute selon les caractères, ils demeurent analogues sur deux points : ceux qui les éprouvent sont des émotifs et assez souvent — ce n'est pas constant — assez peu actifs. Mais, selon que la personnalité est « primaire » ou « secondaire » (au sens de la caractérologie, c'est-à-dire selon qu'elle garde ses impressions seulement dans le *premier* moment ou qu'au contraire elle les revit pendant un très long *second* moment), les angoissés primaires apparaissent comme des névrosés à pente extravertie, avides de « divertissements » pascaliens, les angoissés secondaires comme des névrosés à pente introvertie, schizoïdique, avides de solitude ou même, comme Kierkegaard, de « désespoir ».

## VIII. — La disposition à l'angoisse névrotique

Constatons le rôle dans l'angoisse névrotique de la « donne » constitutionnelle en reprenant à son sujet le constat auquel nous nous sommes borné en étudiant l'anxiété ou en rapportant les conclusions de R. Spitz (v. pp. 63-64).

Freud se plaît à souligner, et les psychanalystes classiques avec lui, le principe d'une certaine disposition constitutionnelle à la névrose d'angoisse. Ils vont même plus loin qu'il n'est nécessaire en écrivant que « peut-être est-il impossible que les enfants les plus normaux soient exempts d'une certaine disposition à l'angoisse », se développant en névrose « si l'évolution affective qui doit s'achever au cours de l'enfance se trouve empêchée par le milieu social et par les circonstances », si « les parents (font) vivre l'enfant dans une ambiance favorable aux sentiments anxieux » (J. Favez-Boutonier). Universalisation peut-être contestable si l'on se rappelle le propos déjà cité (p. 42, n. 2) d'un autre psychanalyste, Daniel Lagache, insistant sur le rôle du facteur constitutionnel. Certes, par ailleurs, Freud marque bien ce qui l'a séparé d'Adler, à qui il reproche d'avoir affirmé que « le caractère nerveux est cause de la névrose au lieu d'en être l'effet ». C'est dire que la doctrine de Freud sur les dispositions constitutionnelles et leur rapport aux influences reçues n'est pas tout d'une pièce. Elle nous paraît à la fois moins facile et plus fine que celle qui s'emploie à gommer l'assise biologique plutôt qu'à l'intégrer au processus infantile et socioculturel, qui l'absorbe sans l'effacer. Cette assise constitutionnelle, il serait aussi paralysant d'en faire un *deus ex machina* que vain de tenter de l'ignorer. Il est trop simple d'attribuer toute la causalité aux situations infantiles ou actuelles. Mieux vaut reconnaître, conformément à l'enseignement réitéré de Freud et de nombreux successeurs, un certain rôle à la constitution psychique et étudier comment s'analysent et se fondent les éléments que chaque individu porte dans ses gènes et ceux, aussi importants, qu'il reçoit de sa vie infantile, puis des situations sociologiques, culturelles et événementielles qu'il traverse. Ramener la totalité de l'explication à l'une seulement de ces sources, c'est une simplification.

## Chapitre VI

# LES ANGOISSES NÉVROTIQUES PHOBIQUES

La difficulté du thème procède ici des équivoques et des superpositions nombreuses qui se sont accumulées sur la notion de phobie, en même temps que sur celle d'angoisse. Ce thème, nous allons tenter de l'ordonner.

Les angoisses phobiques sont ici bien à leur place ; après les angoisses réactionnelles (chap. IV, p. 47) dont les sujets peuvent définir la cause, et après les angoisses névrotiques (chap. V, p. 56) privées de toute justification manifeste, les angoisses phobiques jettent entre elles une sorte de pont : elles publient leur source, mais sans même tenter de la justifier.

## I. — Angoisses et phobies

J. Laplanche le remarque : c'est pratiquement la classification freudienne des névroses qui a construit la nomenclature et la classification psychiatriques dans ce domaine. Avant elle, en dehors des tentatives limitées de Pierre Janet, le domaine des névroses était sans analyse ni structure. On peut — c'est devenu rare — contester la théorie freudienne des névroses : la structure nosographique qu'elle a établie demeure ; elle est désormais reçue de façon générale.

Malgré ces distinctions au départ fortement établies, l'étude psychanalytique des phobies en est venue plus d'une fois à ne plus traiter que de *la* phobie — et, par extension, de *l*'angoisse —, alors qu'en fait l'observation vigilante enjoint de retenir la séparation catégorique que nous avons signalée au chapitre premier. Due à Freud, et constamment confirmée par lui, elle distingue entre la « névrose d'angoisse » et l' « hystérie d'angoisse », celle-ci étant une psychonévrose d'origine inconsciente.

Les phobies, expressions particulières de l'angoisse, répondent évidemment à la même séparation : d'un côté les phobies dont le siège est seulement dans le conscient, de l'autre les phobies qui expriment au contraire un complexe inconscient, susceptible d'être découvert et maîtrisé par une psychanalyse, voire par une psychothérapie au moins dirigée selon les principes de la psychanalyse.

Cette séparation, nous allons en inaugurer l'emploi ici en distinguant, expressions particulières des types d'angoisse correspondants, les *phobies névrotiques* et les *phobies de l'inconscient.* Mais écartons auparavant les *pseudo-phobies.*

## II. — Les pseudo-phobies

**Séparer peurs et phobies.** — Eloignons d'abord, dans ce que Freud nomme « le chaos » des phobies, ce qui n'en est pas. Voici d'abord les pseudo-phobies en rapport avec un danger réel. Il n'y a rien à en dire. Ce sont seulement des peurs normales : peur quand on prend un avion transatlantique ; pour certains, peur à chaque nouveau vol : le danger est réel. Quelques personnes en viennent à déclarer leur « phobie de l'avion » : ce n'est qu'une peur systématisée. Laissons aussi les pseudo-phobies en rapport avec un danger réel, mais excessives et compliquées : un serpent provoque, même de loin, une peur panique dans laquelle le danger objectif est dépassé. Freud l'a noté :

« Quelques-uns de ces objets ou situations redoutées ont quelque chose de sinistre, même pour nous autres normaux, auxquels ils rappellent un danger (...) : c'est ainsi que la plupart d'entre nous éprouvent un sentiment de répulsion à la vue d'un serpent. On peut même dire que la phobie des serpents est une phobie répandue dans l'humanité entière, et Ch. Darwin a décrit d'une façon impressionnante l'angoisse qu'il avait éprouvée à la vue d'un serpent qui se dirigeait vers lui bien qu'il en fût protégé par un épais disque de verre » [2, pp. 375 et s.].

Ce sont des peurs en quelque sorte préparées, actuelles ou virtuelles, portant sur un ou des objets bien déterminés ; mais ce sont encore des peurs.

Des réactions plus ou moins anxieuses, en quelque sorte collectives — nous ne sommes pas loin de l' « inconscient collectif » de Jung — sont associées dans la conscience commune aux signes et aux présages : treize à table, couteaux en croix, poignées de main qui se croisent, araignées du matin, etc. Ces pseudo-phobies s'alimentent à la symbolique (insérée dans le moi, en ses régions préconscientes) des « contes et des mythes, du folklore, des mœurs et usages, proverbes et chants des différents peuples, du langage poétique et du langage commun » [Freud, 2, p. 144]. On peut rapprocher cela, même si la phobie s'éloigne, des mythes du four et du feu : « En certaines régions d'Allemagne on dit d'une femme qui vient d'accoucher : *son four s'est effondré*. La préparation du feu, avec tout ce qui s'y rattache, est pénétrée profondément de symbolisme sexuel » [*ibid.*, p. 147]. Observons ici que le symbolisme sexuel et le symbolisme sociologique se recoupent évidemment :

« Les femmes sont médiatrices entre les groupes preneurs et les groupes donneurs (de femmes), elles doivent l'être pareillement entre le feu et la terre : *il faut donc que ce soient elles qui s'occupent du four* » (Cl. Lévi-Strauss, *L'homme nu*, pp. 556-557).

Alors, même si Freud ne le suggère pas, la souris, la plume, les araignées, les pointes aiguës n'ont-elles pas une double origine : universelle d'abord, mais qui ne serait sortie des virtualités de l'inconscient collectif que par une expérience personnelle infantile ? Celle-ci a été le plus souvent toute simple d'ailleurs : tel enfant émotif a été « saisi » en son très jeune âge par l'irruption d'une souris ou d'une grosse araignée sur son berceau ou dans ses jouets, un autre s'est trouvé séparé de sa mère par une porte brusquement fermée, un troisième a été anxieusement frappé en voyant plumer un poulet, un quatrième a été menacé d'être enfermé dans un réduit « avec les souris, les araignées », ou abandonné dans la campagne, s'il était méchant, etc.

Ces demi-phobies, plus étranges par leur intensité que par leur contenu, motivées pour une part objectivement et pour une part subjectivement, semblent bien ressortir, pour leur part d'excès, à des influences éducatives fragilisantes qui ont joué sur des dispositions constitutionnelles que Freud est loin de contester même si, nous allons le voir, il proteste contre l'abus qu'on en a fait. Du point de vue prophylactique, il est clair que l'éducation parentale devrait toujours être, contre les ébranlements et les peurs inévitables de la vie extérieure et scolaire, le havre sécurisant où, littéralement, l'enfant se cuirasse contre les atteintes externes. Il n'est besoin là ni de discours ni de précautions excessives : l'un des enseignements de la psychologie structurale est que les *situations* durables sont plus efficaces — dans le sens positif ou négatif — que les *événements*, fussent-ils dramatiques, et beaucoup plus encore que les événements en forme de discours ou de « leçons ». Une situation familiale tranquille, sereine, écartant la peur (et le mot lui-même, qui induit parfois le phénomène psychologique), suffit le plus souvent à garder l'enfant et l'adolescent, même émotifs, des tentations phobiques de ce style.

Mais voici des phobies authentiques : loin de remplir tout le registre des phobies, elles méritent d'y être inscrites, quoique dans une colonne séparée de celle qui suivra. Ici en effet se présente la césure annoncée. Les phobies authentiques sont de deux sortes : phobies nerveuses ou névrotiques (du conscient) et phobies psychiques (de l'inconscient). Leur étiologie, leur nature, leur avenir s'avèrent complètement distincts. Examinons d'abord la catégorie des phobies névrotiques du conscient et de l'angoisse qui les constitue.

## III. — Les angoisses névrotiques phobiques du conscient

L'angoisse des phobies névrotiques se compose de deux éléments : d'une part le « fond d'anxiété » (Freud) maintenant bien connu du lecteur ; c'est une disposition timérique fondamentale, d'origine constitutionnelle ou infantile (ou le plus souvent les deux à la fois, l'une conditionnant l'autre, dans les deux directions) ; d'autre part, se greffant par bouffées sur ce fond (qui est aussi un fonds), les « accès d'angoisse » (Freud), avec leurs expressions à la fois psychologiques et somatiques, qui seront d'ailleurs celles de l'angoisse névrotique en général. *Psychologiques :* attente d'un malheur entièrement indéterminé, sentiment d'être empoigné par une force, *symbolisée par l'objet phobique*, à la fois intérieure et extérieure, qui vous dénude et vous livre ; impression d'isolement dans cette épreuve, d'abandon, d'impuissance à comprendre et à réagir ; attente tremblante ou de la fin de l'accès ou d'une délivrance quelconque (par exemple l'arrivée d'un tiers ou la survenue d'un événement). *Somatiques :* impression d'intense striction au niveau de la gorge, de la trachée, de l'appareil respiratoire et gastrique, allant parfois jusqu'à la sensation d'étouffement et, par suite, à l'impression de mort imminente.

Les objets de la phobie névrotique présentent deux traits essentiels, que Freud a merveilleusement décrits (en des points différents, et souvent chronologiquement éloignés, de son œuvre, il est vrai) : d'une part, ils se détachent sur le fond d'anxiété générale déjà signalé, d'autre part, ils ne répondent pas à un refoulement ; *ils n'ont pas de rapport avec l'inconscient*, mais seulement avec une énergie pulsionnelle — la libido — qui cherchait à s'investir et n'y est pas parvenue.

S'il y a « ici présent un quantum d'angoisse librement flottante » (Freud), on comprend que, dans les accès, cette angoisse *se fixe sur un événement ou un objet* qui ont été investis d'une signification actuelle par un incident de la vie passée, par un hasard, par une lecture ou par le folklore dramatique. Par exemple c'est un bruit, le cri de la chouette, la lumière lunaire filtrant dans la chambre, l'obscurité, le silence lui-même, qui deviennent des objets de fixation. Quant au choix des objets phobiques, l'explication est sans doute assez simple. Pourquoi le rayon de lune blafard (un mot qui dit bien la valeur anxiogène générale du clair de lune, si souvent appelé dans les contes, légendes et mythes), pourquoi le hurlement du chien, le hululement de la chouette, le silence complet, l'obscurité totale, le passage d'un rongeur, le frôlement imprévu d'un chat, se fixent-ils comme objets privilégiés d'une phobie ? Deux explications, qui se rejoignent souvent :

*a)* Certains de ces objets sont désignés comme anxiogènes par la voix collective. Parfois très dramatisante dans certains milieux peu évolués, l'inconscient et le semi-conscient collectifs lui font encore écho, de façon assourdie, même dans des personnalités plus libérées. Le hurlement « à la mort » du chien, le hululement de la chouette sont présents, entre d'autres, chez Chateaubriand, Vigny, Wagner, Liszt et même Pasteur.

*b)* Pour des objets moins banalement anxiogènes, il peut s'agir d'une coïncidence entre leur parution et, chez le sujet, un état accentué d'anxiété, ou un accès d'angoisse, qui les ont alors fixés comme des objets prioritaires. La première phobie a frayé des voies, désormais plus ouvertes que d'autres à la décharge de l'anxiété flottante, mais non exclusives de nouvelles fixations : il semble assez rare que la phobie névrotique n'ait pas plusieurs objets privilégiés.

## IV. — Etiologie des angoisses névrotiques phobiques

Ce n'est donc pas telle ou telle représentation qui, refoulée, aurait provoqué la phobie névrotique angoissée. Ici la représentation est aussi peu importante qu'elle sera essentielle, en tant que refoulée, dans l'autre phobie, la phobie de l'inconscient. La représentation n'est que de hasard : elle cristallise seulement « l'état affectif ». Comme une source pétrifiante recouvre n'importe quel objet, c'est cet « état affectif » qui investit la représentation. Freud est très explicite :

« L'affect ne provient pas d'une représentation refoulée (...). L'énergie « flottante » est à chaque fois prête à se lier à tout contenu représentatif qui s'y prête » [2, p. 375].

« Le mécanisme de la substitution (d'une représentation symbolique à une représentation inconsciente) ne s'applique donc pas, conclut Freud, aux phobies de la névrose d'angoisse » [*ibid.*].

Derrière la représentation à laquelle s'est lié, par une sorte de hasard, le « quantum d'angoisse librement flottante », il n'existe aucune autre représentation dont la première serait le signifiant. Freud n'hésite d'ailleurs pas, on le sait (v. p. 12), à rejeter l'ensemble de ces névroses « actuelles », phobiques ou non, hors du champ psychanalytique, à les déclarer « non psychanalytiques ». Sur le tableau général de l'angoisse névrotique viennent seulement s'implanter, comme des excroissances, les localisations phobiques.

Et, point capital, qu'il nous faut redire, ces localisations ne se sont pas insérées dans l'inconscient : c'est le *moi* conscient ou préconscient, qui les a enregistrées.

Rappelons que le moi, organe de médiation entre le *surmoi*, d'origine collective, ensemble des obligations inconsciemment reçues du groupe social, et le *ça*, lieu des pulsions inconscientes, plonge pour une part dans l'inconscient et, *a fortiori*, dans ce préconscient, dont le rôle s'avère majeur dans nombre d'états timériques.

C'est à l'intérieur de ce moi que la libido inemployée exerce son rôle anxiogène et phobogène en se fixant sur l'impression reçue selon un mécanisme qui, en fournissant à la charge d'angoisse un pseudo-objet, paraît d'ailleurs l'alléger d'autant : les angoisses à objet phobique semblent bien être nettement moins violentes que les angoisses névrotiques sans objet. Elles sont des défenses.

L'étiologie de la phobie névrotique ne peut donc se prévaloir d'aucune originalité : c'est simplement celle de l'angoisse névrotique, qui l'englobe. Nous retrouvons alors — pour en retenir la force et l'intérêt, mais aussi l'insuffisance — l'explication toute sexuelle sur laquelle Freud a tant insisté.

Qu'il ait été suivi dans cette direction par Wilhelm Reich [32] qui à la fois l'accentue et la systématise encore, et en un sens par Herbert Marcuse, cela interdit le refus sommaire d'une explication que des psychanalystes de notre temps taxent trop aisément de simplification abusive. Ils semblent ne pas comprendre que cette explication par la « stase sexuelle » doit d'abord être entourée d'une référence à tout un cortège psychologique qui envahit le moi (v. pp. 72 et s.), ensuite être limitée, parmi les phobies, à la phobie névrotique : la phobie de l'inconscient appellera de tout autres recours. Pour la phobie névrotique nous conserverons donc l'explication analytique de l'angoisse névrotique, mais en l'insérant ici aussi dans ses contextes psychologiques et phénoménologiques : nous avons vu au chapitre précédent (v. pp. 86-93) comment les incidents anxiogènes sont entourés d'élaborations très différenciées selon les caractères — ces caractères dont Freud [6, 7, 13, 16], Reich [32], Adler [33] ont pris soin de nous proposer des théories et des classifications intéressantes, que des psychanalystes d'aujourd'hui élargissent fort utilement [36, 43, 45].

## V. — Les phobies de l'enfant

Très différentes de la peur, les phobies enfantines (de l'obscurité, de la solitude) paraissent bien « s'approcher beaucoup de l'angoisse névrotique des adultes », comme le pense Freud. Ce n'est qu'en apparence que, comme elle, elles n'ont pas d'objet autre que de hasard. L'objet de la peur enfantine, c'est précisément l'obscurité et la solitude, même s'il est vraisemblable qu'elles donnent une puissance dramatique à l'absence de la mère, provoquant ainsi « la reproduction du premier état d'angoisse accompagnant l'acte de la naissance, à savoir la séparation de la mère ». Ce « traumatisme de la naissance », nous l'avons retenu comme constituant une structure d'accueil pour les angoisses névrotiques à venir de l'adulte. Mais les phobies (les peurs systématisées) de l'enfant appellent une discrimination attentive, et d'ailleurs le plus souvent rassurante. P. Wiener distingue bien (1) ce qui est quelconque, et sans lendemain, des troubles qui doivent retenir l'attention :

« Tout un cortège de conflits banaux, et d'expression banale, marquent souvent l'évolution de l'enfant : dans la petite enfance, la peur du noir, de la société, du tonnerre, des situations et des objets nouveaux, les crises de colère, la turbulence destructrice, les petites phobies diverses (...) sont comme des variantes du développement. Aucun traitement n'est nécessaire. Les choses s'arrangent toutes seules (...). A propos des terreurs nocturnes de la petite enfance, la production de l'angoisse fait partie du développement normal et il n'y a pas lieu de s'en émouvoir. La peur, liée à la perception d'un danger réel ou possible n'est pas pathologique non plus. Par contre un fond d'angoisse [d'anxiété] chronique est plus inquiétant : enfants qui vivent dans un état d'inquiétude permanente, qui ont peur de tout, dorment mal, avec souvent des troubles de l'appétit, de la digestion, de l'élimination. Ces états, parfois passagers, évoluent fréquemment vers l'organisation phobique. Dans ce cas l'anxiété diffuse se concentre sur une personne, un animal, un objet (médecin, marchand ambulant, fantômes), animaux de grande (chevaux, chiens, lions) ou de petite taille (mouche, papillon), objets, ascenseur, pont à traverser, espace trop limité ou trop ouvert (...). La peur de l'obscurité, de la solitude, de l'étranger ne sont pas des phobies, mais seront très probablement des prototypes (des modèles) (...). C'est dans le comportement de l'enfant phobique que se révèle la fonction défensive de ce symptôme : défense contre l'angoisse. La phobie permet d'éviter les situations qui la réveillent. Devant l'objet phobogène, l'enfant peut présenter une crise d'anxiété aiguë qui le paralyse : il peut pré-

(1) P. Wiener, Psychopathologie de l'enfant, in *Bull. de Psychol.*, 1971-1972, n° 218, pp. 732-734.

parer pour cette occasion des formules et des attitudes conjuratoires, prendre la fuite ou affronter l'objet (...). Les phobies de l'enfance disparaissent souvent toutes seules. Le souci de comprendre l'enfant doit dominer l'attitude de tous ceux qui entrent en contact avec lui. Mais quand il existe une organisation névrotique de la personnalité (défenses excessives contre la satisfaction des désirs), une psychothérapie peut devenir nécessaire. »

La bénignité de la plupart des phobies anxieuses enfantines s'explique bien : elles n'ont pas d'autre objet (au sens psychanalytique) que leur cause physique : un rai de lumière les apaise ; elles ne répondent pas à une symbolique inconsciente. Elles ne sont pas vraiment insérées dans le psychisme ; elles se jouent à sa surface, sans plus. Ce sont des affections somatiques pour l'essentiel ; elles répondent à des insuffisances assez souvent provisoires du système nerveux. Elles ne sont pas psychiques ; elles obéissent à un déterminisme simplement « névrotique », comme le dit Freud, c'est-à-dire, ici, à un certain état d'excitation et de réactivité un peu excessives du système nerveux.

*Tout autres seront les phobies issues de l'inconscient* dont nous traiterons au chapitre VII. Eléments significatifs de l'angoisse de l'inconscient, nous n'aurons pas à nous demander si elles sont des « causes » de l'angoisse, ou ses « effets ». La phobie et l'angoisse seront imbriquées à partir de sources enfouies dans l'histoire du sujet.

**Phobie et caractère.** — Si l'étiologie de la phobie simplement névrotique est à inclure dans celle de l'angoisse actuelle en général, le rôle qu'y tiennent les caractères devrait être étudié de la même façon. Nous n'avons pu y faire que de brèves allusions (v. pp. 91-93 et chap. V, § VIII). Ce point est pourtant plus important que ne l'ont pensé, malgré

Freud, la majorité de ses continuateurs [illegible] rvons seulement qu'à peu de distance du pa [illegible] ù il séparait le « quantum d'angoisse flottan [illegible] la représentation qui le reçoit et qui feint de [illegible] n-drer, Freud avait, une nouvelle fois, rappel [illegible] gation de tenir « compte du facteur constitu [illegible] dont (il n'a) d'ailleurs jamais contesté l'importa [illegible] Nous pourrons donc, en accord avec Freud [illegible] plusieurs psychanalystes, présenter — de fa [illegible] bien sommaire — une remarque *caractéranalytiq* [illegible] en observant deux points : d'une part les grandes phobies enfantines coïncident avec une émotivité très forte qui apparaît comme l'une de leurs conditions, d'autre part leur évolution éventuelle (lorsqu'elles apparaissent sur un fond constant et puissant d'anxiété agitée) vers la névrose d'angoisse dépend — selon Freud lui-même — des conditions de vie qui sont faites à leurs jeunes porteurs. Frustrantes ou traumatisantes, celles-ci faciliteront cette évolution ; rassurantes et réconfortantes, elles y feront sans doute obstacle. En tout cas, si l'on joint le facteur constitutionnel et le facteur infantile, on rassemble, sous d'autres noms, ce que nous désignons comme la substructure constitutionnelle (ou génique) et la substructure affective-infantile. La réunion, à vrai dire la symbiose, de ces deux substructures, c'est ce que, dans la personnalité globale considérée à tel ou tel moment, nous nommons *le caractère*, en accord d'ailleurs avec la théorie psychanalytique, souvent oubliée sur ce point [cf. 6, 7, 13, 16 (2e partie)], mais désormais, redisons-le, fortement reprise et éclairée [36].

# CHAPITRE VII

# L'ANGOISSE PHOBIQUE DE L'INCONSCIENT

Toute différente, répétons-le, une autre angoisse phobique appelle maintenant l'analyse. Des exemples en sont donnés dans les trois analyses par Freud du « petit Hans » pour les enfants et, pour les adultes, de « l'Homme aux loups » et de « l'Homme aux rats » [9].

## I. — L'angoisse phobique du petit Hans

Freud avait analysé le cas de Hans dès 1905 et l'avait publié en 1909. Mais il n'a pleinement isolé et approfondi qu'en 1926 [*in* 4] cette nouvelle espèce timérique. En quoi se distingue-t-elle de l'espèce névrotique ? Essentiellement, l'angoisse est cette fois *étroitement associée à une représentation refoulée*, qui a donc rencontré un ou des complexes puissants. Tandis que, dans la phobie névrotique, la représentation était absente, ou, si elle existait, était illisible, ici la puissance de l'angoisse est associée à un objet apparent (les chevaux dont Hans a la phobie), qui représente un objet réel (la haine du père, associée à une présence maternelle anormale).

Avant l'apparition de la phobie, Hans — une petite sœur est née quelques mois plus tôt — manifeste beaucoup de préoccupation autour de son « fait-pipi » (ce qui n'est pas anor[illegible] 4 ans) et reçoit de sa mère des marques très excessives [illegible]ndresse. Le symptôme surgit à 4 ans 9 mois : l'enfant éprou[illegible] phobie angoissée d'être mordu par un cheval. Tout [illegible]sse pour Freud comme si « l'angoisse flottante » jusqu[illegible]acante, sans objet, s'était tout à coup fixée, cristallis[illegible] le cheval. Le père (qui suit l'enseignement de Freud [illegible]llabore avec lui dans cette analyse) note que cette phobi[illegible]oissée semble être en rapport avec le fait que l'enfa[illegible]bservé le grand pénis érigé des chevaux, posé des questi[illegible]ce sujet, et « tiré la conclusion que sa mère, puisqu'elle [illegible] si grande, devait avoir un « fait-pipi » comme le chev[illegible]ans étend bientôt cette phobie angoissée à d'autres grands [illegible]aux, par exemple à la girafe du parc. La mère ayant [illegible]cepter que le garçon vienne le matin dans le lit parent[illegible]ndant un temps Hans n'y vient plus, puis il y retourn[illegible]lemande à son père : « Pourquoi m'as-tu dit que j'aime [illegible]n et que c'est pour ça que j'ai peur, alors que c'est to[illegible] j'aime ? » Mais en même temps, lorsqu'il éprouve ses acc[illegible]ngoisse, il ne trouve leur résolution qu'à « faire câlin » [illegible]a mère. Laissant un grand nombre de détails (d'aille[illegible]nificatifs), nous sommes intéressé par l'explication [illegible]nne : un puissant « affect », une grande charge affectiv[illegible]le ; c'est l'anxiété fondamentale mais qui, ici, se fixe [illegible] cheval. Hans nomme bien « la bêtise » cette angoisse localisée. Nous verrons que cela n'autorise pas à minimiser le symptôme. Mais considérons la source de la phobie. Elle apparaît assez bien si l'on décortique les principales expressions symptômales de ce désir inconscient (la libido) attaché au couple parental.

On distingue trois articulations :

*a)* Le père est à la fois inconsciemment refusé et aimé : « peur *du* père et peur *pour* le père, explique Freud », hostilité et tendresse, la relation du symptôme au père étant constituée par le « grand pipi », transposé du père au cheval, du cheval au père, symbole inconscient du père, très probablement imposé par le spectacle (ou l'imagination, le fantasme (1), singulièrement facilités par l'habitude

(1) Le fantasme est constitué par un scénario auquel participe le sujet et qui accomplit, de façon plus ou moins déformée par la censure et les défenses du moi, un désir inconscient. Le fantasme peut

de Hans d'aller « faire câlin » dans le lit conjugal) de « la scène primitive ».

Les psychanalystes nomment ainsi le rapport sexuel des parents aperçu, saisi, ou fantasmé par le jeune enfant au prix d'un choc évidemment considérable (le père semble maîtriser, agresser la mère, étrangement consentante). Lorsque le jeune enfant évolue normalement, et en particulier quand il a reçu dès les premières années une première information sexuelle adaptée, il retient évidemment le souvenir ou le fantasme de cet événement. Il l'associe plus ou moins à ses propres excitations sexuelles. Mais il possède une réponse, confuse mais affectivement *assez* satisfaisante, aux questions que « la scène primitive » l'oblige à se poser. Par contre pour certains caractères d'enfants la « scène primitive » possède un fort pouvoir traumatisant, surtout si elle ne trouve chez les parents que silence, mystère ou réponses offusquées, au lieu des explications sommaires qui, données sur un ton naturel et affectueux, éviteraient le plus souvent cet enfouissement dans l'inconscient où s'alimenteront, dans le cas du silence parental, les fantasmes et l'angoisse de l'enfant. Celle-ci trouve certainement là, dans les cas défavorables, l'une de ses sources principales, et principalement méconnue. (Melanie Klein, qui s'est spécialisée dans la psychanalyse infantile, exagère probablement quand elle suppose l'observation par l'enfant, dès l'âge de trois mois, du coït parental.)

*b)* Le pénis des chevaux a multiplié par ses dimensions, écrit le père, « la conclusion que Hans a tirée quant à sa mère » : la mère a-t-elle ou non le « grand pipi » ? Si c'est oui, elle apparaît comme « phallique » ; si c'est non, comme « castrée ».

être conscient, préconscient ou inconscient. Assez souvent les fantasmes assument la transition entre les trois systèmes psychiques, d'autant que, conscients, préconscients ou inconscients, leur structure est la même : « hautement organisés, non contradictoires » car ils se sont mis à l'école du conscient. Mais, inconscients dans leur fond, ils sont refoulés si des pulsions les investissent dangereusement. Tandis que, tranquilles, ils peuvent « rester là sans être troublés ».

Les fantasmes articulent le désir ; ils l'expriment directement (dans la rêverie diurne consciente, dans nombre de rêves qui n'ont pas besoin d'interprétation) ou symboliquement ou inversement (par le contraire ou la dénégation du désir). Ce sont évidemment les fantasmes inconscients que l'analyse découvre comme fondements réels d'un contenu manifeste qui disait tout autre chose.

« Phallique » ou « castrée » portent ici deux sens : au sens immédiat, l'enfant se demande (consciemment) si la mère porte le phallus (le pénis érigé) ; au sens symbolique, il se demande (inconsciemment) si elle a droit à la puissance, au pouvoir, au commandement (« avoir le phallus » ; cf. l'expression vulgaire ancienne : « elle porte le pantalon »).

## II. — L'angoisse phobique et le « complexe de castration »

1. **Le « complexe de castration »** s'introduit ainsi dans l'explication de la phobie angoissée. La psychanalyse en fait grand emploi. Définissons-le, au moins dans son rapport à la phobie de l'inconscient. Il n'est d'ailleurs ni très compliqué ni très étonnant.

Son appareil génital constitue pour l'enfant une inquiétude, à vrai dire une angoisse inconsciente, par la suite généralement liquidée et même transformée en une satisfaction : le plus souvent l'homme est content d'être homme et — un peu moins régulièrement — la femme d'être femme. L'important est dans le symbolisme qui entoure presque immédiatement la crainte de la castration chez le garçon, le chagrin de la castration chez la fille. Le phallus prime ; il est *la* référence. « Au stade de l'organisation génitale infantile il y a un *masculin*, mais pas de féminin ; l'alternative est : *organe génital mâle ou châtré* » (Freud). La petite fille voit le clitoris comme un commencement de pénis, qui va grandir. Chez elle, l'angoisse est donc redoublée : d'une part angoisse de ne pas avoir de pénis : il lui manque un attribut essentiel, elle n'est pas garçon ; d'autre part angoisse de devoir attendre — jusqu'à quand ? — la compensation inconsciemment escomptée du clitoris agrandi. Le garçon, Freud pense qu'il s'angoisse d'abord de ne pas être semblable à son premier objet d'amour, la mère (qu'il suppose pourvue du pénis) et ensuite — et plus sûrement — d'être bientôt puni par le père en raison de son désir (inconscient) de séduire la mère.

Mais le complexe de castration prend une portée beaucoup plus générale : chez l'homme, il peut engendrer des fantasmes de mutilation génitale, mais aussi d'incapacité sexuelle ; chez la femme des angoisses de perte, de destruction d'un objet assorti d'une symbolisation phallique : sa beauté. C'est par elle qu'elle attire l'attention phallique des hommes et qu'elle peut ainsi les égaler ou les dominer, gagnant des équivalents de la masculinité enviée : son époux par sa présence à ses côtés lui procure un substitut, ses fils sont sa revanche, ses formes et ses bijoux affirment la séduction qu'elle exerce, qu'elle a exercée, qu'elle espère exercer encore. Nous allons revenir dans un instant sur le rôle considérable du « complexe de castration » dans la genèse des phobies de l'inconscient. Mais il faut signaler d'abord l'ambivalence, voire la polyvalence, de ces phobies.

2. **La polyvalence des phobies.** — A son père, tenant le rôle de psychanalyste, Hans demande : « Pourquoi m'as-tu dit que j'aime *maman*, et que c'est pour ça que j'ai peur, alors que c'est *toi* que j'aime ? » Freud souligne aussitôt l'ambivalence de ce propos : « cette partie de l'angoisse a deux composantes : la peur du père et la peur pour le père ». La première apparaît très nettement dans d'autres parties de l'analyse :

Par exemple Hans s'étant affolé, court vers la maison à la vue de deux chevaux tirant une voiture. Il explique qu'il leur a trouvé « l'air fier » (le cocher les tenait très court, et ils allaient au petit trot, tête relevée : « on dirait qu'ils vont tomber »). Son père lui demande : « Qui est, au fond, si fier ? » La réponse de Hans est presque directement significative : « Toi, quand je viens dans le lit de maman. » Le père répond : « Tu voudrais donc que je tombe par terre ? » Hans : « Oui, tu devrais être nu et te cogner à une pierre, alors du sang coulerait et je pourrais au moins être seul avec maman. » Et plus loin (son camarade Fritz s'était effectivement cogné à une pierre), le père demande : « Et quand Fritz est tombé, à quoi as-tu pensé ? » Hans répond : « Que ç'aurait dû être toi qui te serais cogné à la pierre. » Le père : « Ainsi tu voudrais être avec maman ? » Hans : « Oui ! »

Nous laisserons de côté les interprétations extensives — et peut-être justifiées — de Freud qui croit discerner de surcroît un autre plan encore, où serait présent l'accouchement récent de la mère, la différence des sexes, le fantasme de la « scène primitive » (v. p. 106).

Suivons plutôt le père qui essaie de comprendre le rapport de cette ambivalence affective de Hans, qui veut et ne veut pas le quitter, avec le thème phobique : les chevaux « si fiers » que l'enfant craint qu'ils ne tombent. L'intermédiaire est fourni par deux autres phases de l'analyse :

1) Hans a vu précédemment tomber un cheval d'omnibus. Nommant sa phobie « la bêtise », il raconte [9, pp. 126-127] :

« C'est alors que je l'ai attrapée. Quand le cheval de l'omnibus est tombé, j'ai eu tellement peur ! Vraiment c'est là que je l'ai attrapée. » Le père interprète : la chute du cheval, c'était sa chute à lui, le père.

2) Hans a joué très souvent au cheval avec Fritz :

LE PÈRE. — Etais-tu souvent le cheval ?

HANS. — Oh ! oui.

LE PÈRE. — Et c'est là que tu as attrapé « la bêtise » ?

HANS. — Parce qu'ils (les camarades) disaient tout le temps : « à cause du cheval ».

Ce que Hans lui-même appelle « la bêtise », sa phobie des chevaux, son tremblement quand il doit sortir, son angoisse même quand il se promène au bras de sa mère, cela signifie — il l'éprouve confusément — qu'il s'agit d'autre chose, comme le montre à plein son dialogue avec son père. Dès lors que les interprétations cohèrent avec l'analyse, ne s'excluent pas vraiment, pour une part elles se complètent et s'enrichissent.

Voilà pour les *représentations* de la phobie de signification inconsciente. Reste l'angoisse elle-même : elle n'accompagne pas les représentations ; ici elle les nourrit. Différence — profonde — avec l'angoisse névrotique : la puissante décharge d'énergie n'y trouvait sur son passage rien qui pût la constituer en une symbolique ; ici au contraire la même énergie, la même libido, cette fois refoulée dans l'inconscient, y construit les fantasmes (les chevaux, leur air fier, leur chute possible, la voiture) et produit dans le moi la phobie des chevaux et de leur environnement : les promenades, les rues de la ville.

Dans ces psychonévroses, l'angoisse est encore de la libido inemployée, inassouvie. Freud le note : quand Hans peut « faire câlin » avec sa mère, la phobie disparaît parce que la libido s'emploie. Lorsqu'elle ne peut se fixer, tandis que l'angoisse névrotique étale la vague libidinale comme un flot sur la grève, la psychonévrose la rassemble dans l'inconscient pour la poser sur des objets devenant ainsi hautement significatifs, tout différents des quelques fixations de hasard de la phobie névrotique.

Mais à ces représentations, dit Freud, l'angoisse ne fait que se « souder secondairement » comme à quelque chose qui lui est extérieur. « Représentation purement substitutive (...) qui garantit le système conscient-préconscient contre l'émergence dans le conscient de la représentation refoulée » (Freud). Ainsi la distance entre l'angoisse névrotique et l'angoisse phobique de l'inconscient n'est pas tant dans l'absence ou la présence de représentations, mais en ce que l'angoisse névrotique est « actuelle » : elle relève de situations présentes ou prochaines, elle se développe dans le moi conscient ou aux alentours immédiats, au lieu que l'angoisse phobique de Hans procède de l'inconscient et de ses charges redoutables. C'est toute la différence entre la névrose « actuelle » et la psychonévrose, entre ce qui est en deçà de la prise psychanalytique et ce qui lui est ouvert. Ce premier point est capital ; nous devons le garder comme acquis. Les interprétations plus complexes de 1924 et de 1926 [4] ne le remettront pas en cause : elles expliqueront *pourquoi*, dans l'inconscient, la libido se fixe sur le père, sur le départ du père, et, nous allons le voir, sur le *désir du père*. Tel sera le résultat de l'installation, à cette date de 1926, du « complexe de castration ». C'est, parmi les découvertes de Freud, l'une de celles qui ont le plus surpris. Elle est pourtant aussi étonnante qu'authentique. La rigueur que lui donne la psychanalyse approfondit d'ailleurs des intuitions très populaires : en témoigne la menace paternelle, et qui subsiste encore çà et là dans toute sa malfaisance, de « couper » le garçon agité ou « vicieux », le regret, diffus, de ne pas être homme chez nombre de filles ou de femmes, de ne pas posséder les attributs masculins.

## III. — Les interprétations de l'angoisse phobique

*Première étape.* — Le fantasme n'a-t-il pas substitué à la mère désirée ce cheval dont Hans craint la chute ? Le rapport, remarquent Freud et le père, serait vraiment lointain. Et pourquoi ce désir à l'égard de la mère aurait-il engendré l'angoisse ? Cependant l'élément « désir pour la mère » ne devra pas être négligé.

*Deuxième étape.* — L'analyse s'oriente vers le père, ce qui est naturel puisque le complexe d'Œdipe, la détestation du père jointe à l'amour pour la mère, se présente comme une hypothèse prioritaire. Si un enfant de cet âge présente des troubles d'angoisse phobique, il serait bien étrange qu'ils n'impliquent pas l'Œdipe : « ... Tous deux, le cheval qui mord et le cheval qui tombe sont le père qui va punir Hans à cause des mauvais désirs qu'il nourrit contre lui. L'analyse pendant ce temps s'est écartée de la mère » (*ibid.*, p. 182). Il est bien normal que cette haine pour le père, jointe à l'amour pour la mère, provoque une forte angoisse qui, à travers l'inconscient, va se fixer sur le cheval symbolique.

A cette interprétation Freud va se tenir jusqu'en 1926 tout en préparant, entre 1915 et 1926, la très importante découverte de l'angoisse de castration (1).

*Troisième étape.* — En 1926, il maintient entièrement que « la motion pulsionnelle refoulée dans ces phobies est une motion hostile au père » [4, p. 24]. Mais il ajoute, *novation considérable* :

« En dehors de cela (...), simultanément, une autre motion pulsionnelle a subi le refoulement : (c'est) la motion opposée, de tendresse passive à l'égard du père (c'est-à-dire une motion homosexuelle), qui était déjà parvenue au niveau de l'organisation génitale (phallique) de la libido. Bien plus, ont été finalement refoulées très profondément « à peu près toutes les composantes du complexe d'Œdipe : la motion hostile comme la motion tendre à l'égard du père et la motion tendre envers la mère » [4, p. 25].

Ainsi apparaît le rôle de la phobie : elle a « levé pour Hans l'opposition des deux principales motions du complexe d'Œdipe, la motion agressive envers le père et la motion excessivement tendre à l'égard de la mère ». Et voici le *pourquoi* final, et tant attendu :

« Le moteur du refoulement est dans les deux cas le même : l'angoisse devant une menace de castration. *C'est par l'angoisse de castration que le petit Hans met un terme à l'agressivité contre le père* ; son angoisse que le cheval ne le morde peut, sans forcer, être explicitée comme l'angoisse que le cheval ne lui coupe, en le mordant, les parties génitales, ne le châtre » [p. 26 ; nous soulignons].

(1) Les éditions *originales* des ouvrages de la période 1908-1923 n'en portent aucune trace. En 1926, Freud va reconnaître son existence, mais contester encore son universalité.

L'enfant, par souci de logique, attribue un pénis à tous les êtres humains. Jusqu'au terme du troisième stade — phallique (1) — de l'évolution infantile de la libido « il y a bien un *masculin*, écrit Freud, mais pas de féminin ; l'alternative est : *organe génital mâle ou châtré* ». C'est ce qui assure la présence du complexe dans les deux sexes : le garçon redoute de perdre le phallus, la fille déplore de ne pas l'avoir; le garçon pense qu'on l'a enlevé aux filles ; la fille et le garçon croient qu'il poussera chez la fille. Le garçon s'angoisse devant la castration comme effectuation d'une menace du père à l'encontre de ses activités sexuelles, tandis que la fille se borne à éprouver son absence comme un dommage imposé par la mère et qu'elle voudrait effacer. La relation du complexe de castration avec l'Œdipe est complète : il ouvre l'Œdipe à la fille qui commence à désirer le pénis paternel ; il clôt l'Œdipe du garçon en venant arrêter le désir vers la mère puisqu'il serait puni par le père, castrateur pour la fille.

Est-il utile d'indiquer que les processus de maturation se déroulent normalement dans la grande majorité des cas, bien qu'il soit assez fréquent d'en découvrir des résidus, ou des reviviscences, dans les personnalités adultes les plus normales ? Aussi l'angoisse morbide, reçue inconsciemment dans le moi du complexe de castration, est-elle beaucoup moins fréquente que l'angoisse névrotique presque banale, œuvrée dans le moi par le moi.

Cependant, l'affect d'angoisse, qui constitue l'essence de la phobie, n'a pas pour origine le processus de refoulement, ni les investissements libidinaux des motions refoulées, mais le *refoulement* lui-même : l'angoisse de la phobie d'animaux est l'angoisse de castration, inchangée, angoisse devant un objet réel *(Realangst)* par conséquent, devant un danger effectivement menaçant ou du moins jugé réel. « *Ici c'est l'angoisse qui produit le refoulement et, non pas, comme je l'ai pensé jadis, le refoulement qui produit l'angoisse* » [Freud, 4, p. 27].

(1) Les deux premiers, on le sait, sont le stade oral qui privilégie la bouche comme zone de plaisir, et le stade anal, qui donne un rôle majeur aux sensations reçues de la zone anale.

## IV. — Unité de la théorie freudienne de l'angoisse phobique

S'agit-il d'une contradiction avec la thèse ancienne qui transformait en angoisse la libido de la motion pulsionnelle ? Freud commence par le reconnaître et le déplorer [4, p. 28]. Mais il se reprend aussitôt [p. 29] et, somme toute, juxtapose les deux explications *pour deux angoisses différentes* :

« Que la libido se transforme en angoisse (...) est encore valable aujourd'hui et pourtant, d'un autre côté, on ne saurait nier que la libido des processus du ça ne subisse, sous l'impulsion du refoulement, une perturbation ». (...) « *Peut-être est-il donc toujours exact d'affirmer que lors du refoulement l'angoisse se forme à partir de l'investissement libidinal des pulsions* » (1). C'était la thèse de Freud jusqu'à 1926. « Mais comment mettre cette conclusion en accord avec cette autre, d'après laquelle l'angoisse des phobies est une angoisse du moi, apparaît dans le moi, et ne provient pas du refoulement, mais le suscite » [p. 29] ? Freud n'a pas poussé plus avant la recherche d'une conciliation.

Nous pouvons la tenter. Freud, d'ailleurs nous met sur la voie. Répétant l'alternative précédemment découverte, il écrit [addendum à 4, pp. 89-91] : « Ainsi donc l'angoisse était ou bien angoisse du moi, ou bien angoisse pulsionnelle du ça. » Mais il ne reste pas neutre. Il est sensible aux « objections formulées ». Visiblement il porte la nostalgie de sa première thèse, si longtemps affirmée, et il y revient : « La thèse de la transformation directe de la libido en angoisse, que nous soutenions autrefois, a perdu à nos yeux de son intérêt. *Si nous la prenons néanmoins en considération*, nous devons distinguer plusieurs cas. »

(1) Nous soulignons.

Freud l'a peut-être pressenti : il nous livre — confirmation, v. p. 78 — non pas deux théories de la même angoisse, *mais la théorie de deux angoisses différentes*. D'un côté l'angoisse actuelle (devant un objet réel) et l'angoisse névrotique (angoisse sans objet, mais préparée par une anxiété fondamentale) ; ce sont bien des angoisses du moi ; elles procèdent, la première de situations, la seconde de difficultés présentes, préconscientes dans le moi et voilées par lui. De l'autre côté, les angoisses phobiques de l'inconscient (l' « hystérie d'angoisse » dans la terminologie freudienne) ; ce sont bien « des angoisses pulsionnelles du ça », même si elles viennent, déguisées, éclater dans le moi. Ces angoisses phobiques sont provoquées par le refus du moi d'accepter les motions pulsionnelles (l'amour pour la mère, la détestation pour le père — ou l'inverse) et par leur refoulement dans le ça. Celui-ci ne leur laisse alors d'autre ressource que de s'exprimer sous la forme symbolique des phobies d'animaux. Ceux-ci sont ici tout autre chose que les hôtes de la panoplie insignifiante des objets-prétextes, des objets-occasions, de l'angoisse névrotique : araignées, chauves-souris, plumes, etc. Ce sont, cette fois, des objets essentiels, porteurs de la signification *symbolisée* de la phobie, répondant exactement à la définition générale du symptôme névrotique. Il faut ici rappeler une découverte maintenant unanimement reçue : « Les symptômes névrotiques sont des symptômes substitutifs (...), une satisfaction substitutive du désir destinée à remplacer celle qu'on se voit refuser dans la vie normale » [2, p. 281]. Mais « satisfaction » ne doit pas être entendu comme synonyme de contentement, d'agrément, de plaisir. La finalité du symptôme — chez Hans, de la peur des chevaux — est de procurer un « effet de compromis » entre les pulsions insoutenables visant le père et la mère d'une part, et les chevaux — inquiétants mais acceptables — d'autre part. Il fallait bien donner au désir un exutoire : Hans lui a donné l'exutoire de la phobie des chevaux.

Ces deux grandes catégories d'angoisses, il serait illogique de tenter de les unifier (1). Il semble au contraire cohérent, voire nécessaire si l'on distingue l'instance du moi et l'instance du ça, de reconnaître à celui-ci le rôle énergétique premier qui est le sien et le pouvoir de pousser dans le moi des motions pulsionnelles organisées, structurées, que le moi, en tant qu'organe de la personnalité, transpose et transforme en angoisses phobiques, c'est-à-dire en d'autres structures, au travers desquelles le psychanalyste s'efforcera de lire les premières, celles qui comptent, celles qui expliquent.

Au contraire, l'instance du moi n'est *directement* capable que des angoisses névrotiques ; des angoisses d'origine inconsciente (chap. VII), elle ne recevra que l'expression seconde, symbolique, que l'analyse devra comprendre et traduire. Bruyantes, mais sans racines profondes, les angoisses névrotiques relèvent seulement d'une psychothérapie, voire d'une autothérapie ordinaires. Celles-ci s'efforceront de rechercher, dans le moi lui-même, les situations passées ou surtout actuelles qui le perturbent. Ni l'inconscient ni son analyse n'ont là aucun rôle. A l'inverse, dans les angoisses symbolisées par des phobies, ils seront au premier rang pour l'explication et pour la thérapie.

(1) « On parviendra difficilement à ramener les deux origines de l'angoisse à une seule » (Freud, 4, p. 29).

## CONCLUSION

Il n'est pas possible de proposer une conclusion convenant à l'anxiété et à l'angoisse, encore moins aux différents genres d'anxiété et d'angoisse ; ce ne serait qu'artifice.

Par contre, il paraît légitime d'escompter que l'analyse et l'intelligence du domaine timérique sont capables — et seules capables — non pas certes de barrer la route aux bouffées de l'angoisse névrotique ou aux travestissements de l'angoisse de l'inconscient, ni non plus d'interdire les anxiétés, mais de retirer aux anxiétés et aux angoisses, en dévoilant leur mystère, la signification dramatique que notre ignorance des causes ajoute à l'étrangeté des effets.

Si l'on sait par exemple que la crise d'angoisse névrotique constitue un éclat psychosomatique explosant sur un fond assidu d'anxiété préconsciente ; si l'on a compris que ce fond anxieux lui-même a été installé — à notre insu, ou presque — par la « situation » psychologique dans laquelle nous sommes au même moment placés, cette crise d'angoisse s'appauvrit et s'aplatit en quelque sorte jusqu'à réduire considérablement ses proportions et ses prétentions signifiantes. La probabilité de ses répétitions s'en trouve du même coup atténuée, sinon exténuée.

Notre analyse nous conduit à penser qu'il est plus sûr de rechercher cette mise à nu des phénomènes d'anxiété et d'angoisse que de les prendre en compte en vue des exaltations ou des sublimations assez souvent proposées. Non seulement, ennoblissant l'effet, elles peuvent voiler du même coup la cause. Elles autorisent alors le sujet à accepter, voire à appeler, des états psychiques qui se situent, inégalement mais toujours, à côté de la norme.

Riche aux poètes et aux philosophes, l'exemplarité d'un Kierkegaard s'enfonçant avec une sorte de joie dans la « douce angoisse » est sans doute moins recommandable qu'une attentive et sereine lecture de Freud, qui nous a beaucoup éclairé.

**Redécouvrir un rôle thérapeutique à la conscience.** — Relevons d'abord, une fois encore, la banalité anodine de l'anxiété d'objet — anodine parce que consciente de son objet. Le rôle, déjà pathogène, de l'anxiété *préconsciente* fondamentale appelle peut-être une psychothérapie légère puisque celle-ci apparaît comme la « toile de fond » de l'angoisse névrotique, qui répond à la stagnation *(Stauung)* du désir, pour le moment incapable de se poser sur de vrais objets et de se définir. On peut estimer (Freud ne l'a pas indiqué) que les sources de la « toile de fond » anxieuse et des accès d'angoisse névrotique appartiennent bien au système préconscient : comme tous ses contenus, ils ne sont pas présents dans le champ actuel de la conscience, mais ils lui demeurent accessibles. Comme les restes diurnes des rêves, certaines situations sont vécues préconsciemment comme embarrassantes, inquiétantes : par exemple, pour certains jeunes psychismes, « connaître » des filles, des garçons, se libérer de la mère ou du père, découvrir la voie de la carrière à préparer, affronter « les autres », sentir son isolement dans un groupe qui vous ignore ou vous néglige. La « seconde » — et faible — censure qui empêche ces inquiétudes de venir à la pleine conscience est assez facile à tourner car elle ne déforme pas, elle sélectionne seulement. La lever serait le rôle d'une psychothérapie qui tenterait d'amener le sujet anxieux à retrouver, à demi aperçues, à demi refoulées, les sources de l'inquiétude latente.

Ce n'est pas pour obéir à un « modèle théorique » (D. Widlöcher) que Freud souligne le rôle révélateur du langage : tandis que la représentation inconsciente s'enferme dans la chose *(Sache Vorstellung)*, le génie de Freud a saisi que le préconscient — conscient (P.C.S.) est le domaine du mot *(Wort Vorstellung)*. Une représentation, une conduite du système P.C.S. est accessible au langage. Non dite, elle appartient à l'inconscient ; transcrite verbalement, la voilà apte à se mobiliser dans les structures dynamiques de la conscience (1), le système P.C.S. étant en quelque sorte un système « accordéon » entre l'inconscient et le conscient.

La névrose d'angoisse à résonance phobique signale un peu plus encore l'intérêt que le sujet prendrait à rechercher la source de ces phobies inessentielles pour l'extraire d'une mémoire solidifiée et l'amener à la conscience par le langage, celui de l'auto-analyse ou celui de l'analyste. Quant à l'angoisse phobique de l'inconscient, son appel à une thérapie psychanalytique est évident : il faudra là encore, et *a fortiori*, que jouent les associations verbales et que se développe la vertu de rappel et de révélation du langage.

Comment alors ne pas constater, sur l'ensemble des situations d'anxiété et d'angoisse, la valeur

(1) ... « sans que la conscience cesse d'être une manière de vivre, une expression de la vitalité, procédant de la structure et du fonctionnement du corps » [D. Lagache, *Œuvres*, V, p. 67].

— préventive ou thérapeutique — de la prise de conscience et de sa traduction verbale ? Il importe de souligner le rôle néfaste d'une certaine mémoire. Mémoire et conscience constituent souvent les deux pôles antagonistes, l'un pathogène, l'autre préventif ou curatif, du trouble psychique. Une certaine clarté conscientielle apparaît comme l'antidote des désordres infraconscients que la mémoire a figés en une structure bloquée. D. Widlöcher apporte une indication nouvelle pour la théorie et la thérapie lorsqu'il oppose à « la conservation indéfinie des traces en un système » la prise de conscience qui, par la mobilité de ses investissements, permet sans doute à l'énergie ainsi libérée de se déplacer (...). « *La conscience est agent de désengagement vis-à-vis des aliénations* dans lesquelles elle se laisse fasciner par le moi constitué (...). La perception interne ou externe, quand elle nous permet de retrouver un objet et de lever les investissements défensifs (...), offre ainsi une prime de plaisir (contre) l'introversion, le jeu des investissements et des contre-investissements intersystémiques » (1).

Daniel Widlöcher nomme à juste raison *équation fondamentale* le rapport établi, dès l'origine, par Breuer et Freud entre le symptôme et le souvenir anormal, celui qui, échappant au processus normal de l'usure, est conservé de façon indélébile, autrement dit se transforme en symptôme. Il existe, certes, de fortes différences entre la genèse de l'angoisse névrotique, qui ne procède pas de l'inconscient, et l'angoisse phobique inconsciente du petit Hans. Mais, dans l'angoisse névrotique, c'est la *perception* actuelle d'une situation pénible qui,

(1) D. Widlöcher, *Freud et le problème du changement*, Puf, pp. 204-205 (nous soulignons).

parce qu'elle était pénible, est éprouvée, telle quelle, sans amalgame avec d'autres contenus psychiques qui pourraient l'élaborer et l'user. Dans l'angoisse inconsciente, c'est un *souvenir* — par exemple le souvenir de la « scène primitive » entre les parents, ou, chez Hans, le désir de posséder la mère et la crainte de la castration punitive — qui ont été fixés comme intolérables et demeurent pris en masse. Dans les deux cas, la perception actuelle pour l'angoisse névrotique, le souvenir peut-être très ancien et la représentation refoulée pour l'angoisse phobique inconsciente, se trouvent constitués comme des structures figées, immobilisées, isolées et, par là, perturbatrices et angoissantes.

Dès lors, le rôle de la conscience et de la thérapie est, dans les deux cas, identique, à ceci près qu'il est relativement facile à l'attention réflexive de découvrir, dans la situation actuelle, ce qui gèle une impression et en fait comme une écharde dans le mouvement psychique, tandis qu'il est beaucoup plus difficile — sauf entraînement à l'auto-analyse — de découvrir la blessure lointaine et inconnue qui, de souvenir, est devenue stase, symptôme et angoisse.

Grâce à son pouvoir de destruction, la conscience est capable, par sa propre analyse ou avec l'aide du psychanalyste, de rendre sa motilité et sa mobilité à l'ensemble psychique en y réinsérant la perception ou le souvenir presque là figés et par là vulnérants.

Anxieux ou angoissés, nous disposons de quelques moyens pour l'y conduire. On a parfois médit des typologies. Ce n'est pourtant pas sans raison, ni sans profit, que nombre de psychanalystes (Freud, Reich, Jung, et, de nos jours, J. Bergeret) les ont habilitées. Quant aux psychiatres, relativement nombreux sont ceux qui avec J.-M. Sutter [42] en affirment l'importance diagnostique et thérapeutique.

L'étude des anxiétés et des angoisses ne la dément pas : face à leurs contraintes, une claire définition de soi lentement élaborée est loin d'être sans effet. Et cet effort d'auto-analyse n'est pas non plus dépourvu de valeur intrinsèque, comme l'a rappelé Karen Horney [44] en citant le *Faust* de Gœthe : « Que celui qui aspire sans relâche, espère en son rachat. » Il permet à chaque anxieux, à chaque angoissé, de ne plus être les témoins incapables de leur anxiété ou de leur angoisse mais de relativement les maîtriser en les distinguant et en les répétant dans le langage, et ainsi de commencer à les exorciser.

# BIBLIOGRAPHIE

[1] S. Freud et J. Breuer, *Etudes sur l'hystérie*, 1895, trad. franc. Payot, 1956.
[2] S. Freud, *Introduction à la psychanalyse*, 1916-1917, trad. franç., Payot, 1951.
[3] — *Au-delà du principe de plaisir*, 1920, trad. franç., in *Essais de psychanalyse*, Payot, 1951.
[4] — *Inhibition, symptôme et angoisse*, 1926, nouv. trad. franç., Puf, 1965.
[5] — *La vie sexuelle*, recueil en trad. franç., Puf, 1970.
[6] — *Sur les types libidinaux*, 1931, trad. franç., *in* ouvr. précédent.
[7] — *Quelques types de caractères dégagés par la psychanalyse*, in *Essais de psychan.*, Payot, 1951.
[8] — *Remarques sur un cas de névrose obsessionnelle*, 1909, *in* ouvr. suivant.
[9] — *Cinq psychanalyses*, 1905-1918, réunies *in* trad. franç., Puf, 1954.
[10] — *L'interprétation des rêves*, 1900, trad. franç., Puf, 1967.
[11] J. Laplanche, Cours sur l'angoisse, *Bulletin de psychologie*, 1970-1971, n^os^ 290 à 293.
[12] — Cours sur l'angoisse *(suite)*, *Bulletin de psychologie*, 1971-1972, n° 298.
[13] J. Laplanche et J.-B. Pontalis, *Vocabulaire de la psychanalyse*, Puf, 1971.
[14] O. Rank, *Traumatisme de la naissance*, trad. franç., Payot, 1928.
[15] J. Favez-Boutonier, *L'angoisse*, Puf, 1945.
[16] S. Nacht et coll., *La théorie psychanalytique*, Puf, 1969.
[17] S. Lebovici et M. Soulé, *La connaissance de l'enfant par la psychanalyse*, Puf, 1970.
[18] S. Kierkegaard, *Le concept de l'angoisse*, trad. franç., Gallimard, 1935.
[19] — *Traité du désespoir*, trad. franç., Gallimard, 1949.
[20] — *Journal du séducteur*, trad. franç., Uge, coll. « 10/18 », 1966.
[21] — *Crainte et tremblement*, trad. franç., Uge, coll. « 10/18 », 1970.
[22] M. Heidegger, *Qu'est-ce que la métaphysique ?*, Gallimard, 1956.
[23] — *L'Etre et le Temps*, t. 1, Gallimard, 1973.
[24] J.-P. Sartre, *L'Etre et le Néant*, Gallimard, 1956.
[25] F. Dolto, *Psychanalyse et pédiatrie*, Seuil, 1971.
[26] E. Bleuler, *Dementia praecox oder Gruppe der Schizophrenien*, Leipzig, 1911.
[27] R. Spitz, *La première année de la vie de l'enfant*, Puf, 1953.
[28] M. Balint, *Le médecin, son malade et la maladie*, 1957, trad. franç., Payot, 1966.
[29] Ch. Rycroft, *Anxiety and Neurosis*, 1968, trad. franç., *L'angoisse créatrice*, R. Laffont, 1971.

[30] M. Eck, *L'homme et l'angoisse*, Fayard, 1964.
[31] J. Barraud, *L'homme et son angoisse*, Resma, 1969.
[32] W. Reich, *L'analyse caractérielle*, 1933, trad. franç., Payot 1971.
[33] A. Adler, *Pratique et théorie de la psychologie individuelle comparée*, Payot, 1961.
[34] Cl. Rosset, *L'anti-nature*, Puf, 1973.
[35] A propos de l'Homme aux loups, *Revue française de Psychanalyse*, Puf, janvier 1971.
[36] J. Bergeret, *La personnalité normale et pathologique*, Dunod, 1975.
[37] F. Klein et R. Debray, *Psychothérapies analytiques de l'enfant*, Privat, 1975.
[38] A. Le Gall, *Caractérologie des enfants et des adolescents*, Puf, 8e éd., 1984.
[39] — *Les insuccès scolaires*, Puf, coll. « Que sais-je ? », 8e éd., 1980.
[40] — *Le rôle nouveau du père*, Ed. E.S.F., 3e éd., 1976.
[41] A. Le Gall et Suzanne Simon, *Les caractères et la vie des couples*, Puf, 2e éd., 1976.
[42] J.-M. Sutter, Les hommes semblables et différents, in revue *Evolution psychiatrique*, n° spécial d'hommage à Henry Ey, 1977.
[43] D. Widlöcher, *Freud et le problème du changement*, Puf, 1970.
[43 bis] — *Les logiques de la dépression*, Fayard, 1983.
[44] K. Horney, *L'auto-analyse*, trad. fr., Éd. Stock, 1978.
[45] D. Lagache, *Œuvres*, 6 tomes, Puf, 1981-1985.
[46] J. Laplanche, *Problématiques*, t. 1 : *L'angoisse*, Puf, 1981.
[47] — *Nouveaux fondements pour la psychanalyse*, Puf, 2e éd., 1990.
[48] P. Pichot (s. la dir. de), *L'anxiété*, Masson, 1987.
[49] — *DSM-III, Manuel diagnostique et statistique des troubles mentaux*, Masson, 1983.
[50] — *DSM-III et psychiatrie française*, Masson, 1985.
[51] — *Mini DSM-III R., Critères diagnostiques*, Masson, 1990.

# TABLE DES MATIÈRES

## PREMIÈRE PARTIE

## DISTINCTIONS



## DEUXIÈME PARTIE

## LES ANXIÉTÉS



## TROISIÈME PARTIE

## LES ANGOISSES

Imprimé en France
Imprimerie des Presses Universitaires de France
73, avenue Ronsard, 41100 Vendôme
Février 1992 — N° 37 490